World Discovery Collections
探索发现系列

图说天下

《图说天下·探索发现系列》编委会 编

清宫秘史

吉林出版集团有限责任公司

图书在版编目（CIP）数据

清宫秘史／《图说天下．探索发现系列》编委会编．—长春：吉林出版集团有限责任公司，2008.8

（图说天下．探索发现系列）

ISBN 978-7-80762-697-8

Ⅰ．清… Ⅱ．图… Ⅲ．宫廷－史料－中国－清代－普及读物 Ⅳ．K249.09

中国版本图书馆 CIP 数据核字（2008）第 109067 号

清宫秘史

出　版：吉林出版集团有限责任公司（www.jlpg.cn）

（长春市人民大街4646号，邮政编码 130021）

发　行：吉林出版集团译文图书经营有限公司

（http://shop34896900.taobao.com）

制　作：日知图书（www.rzbook.com）

印　刷：廊坊市兰新雅彩印有限公司

开　本：787×1092mm　1/16

印　张：12

字　数：160千字

图片数：150幅

版　次：2008年9月第1版

印　次：2008年9月第1次印刷

定　价：19.80元

作为中国最后一个封建王朝，清朝处于古老与现代激烈碰撞的时代漩涡，因而承载了一份格外沉重的历史感。它离我们最近，却与其他王朝一样被藏形匿影于史学家的春秋笔法中。

前言

FOREWORD

清朝历经200多年的风风雨雨，多少叱咤风云的人物，多少惊心动魄的历史，都被笼罩上了一层摸不清、探不明的面纱，其扑朔迷离，令人迷醉，使人不辞辛苦为之探寻。追寻大清帝国不为人知的秘史，必须拨开历史的迷雾，揭开宫廷的层层内幕，从片言只语间，从闪烁其词里，从传说演义中，捡拾碎片，拼凑事件背后的真相。

纵观整部清宫史，充满了刀光剑影、血雨腥风。肃杀的紫禁城里步步为营：朝堂上君臣斗智斗勇，康熙帝计擒鳌拜定江山，雍正帝力除扈臣年羹尧；后宫里脂粉明争暗斗，妃嫔宫女以红颜换白首，唱断浮华难掩苍白。

草莽英雄努尔哈赤以十二副盔甲起家，智勇双全的多尔衮却英年早逝，顺治帝不爱江山爱美人，一代英主康熙帝成就千古传奇……从白山黑水间走来的清朝帝王，创造了封建王朝时代的最后辉煌。

清宫的女子也是主角，巾帼不让须眉的孝庄太后，唯一的一位汉族公主孔四贞，还有从低层秀女爬上统治者高位的慈禧太后，她们人生的精彩丝毫不逊于男人。

说不尽的宫闱情仇，道不完的铁血柔情……无论是父子、夫妻，还是君臣、将帅，所有的一切都与大清紧密相联。

流血、争夺、自相残杀伴随着盛世繁华，左眼是繁花，右眼是白骨。无论是白和黑的较量，还是光与影的对立，是非成败皆成转眼空。看时空夹带着滚滚红尘驰过，在时光的流逝中，美人迟暮，英雄白发，那意气风发的帝王将相也掩埋于历史之中。青石板路上响彻的车轮声慢慢远去，只余下时空的剪影，永恒的叹息。

清宫秘史

目录 · Contents

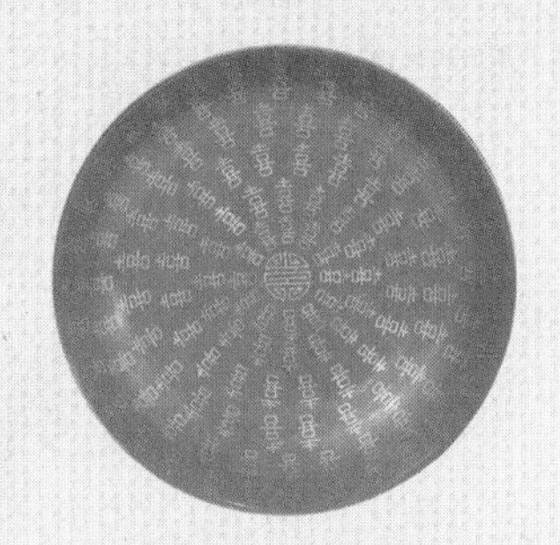

官场众生

奇案冤狱

十三副铠甲起兵

努尔哈赤人生的三大谜团

努尔哈赤是大清帝国的奠基人，他以十三副甲胄起兵，四处征战，用武力和智谋统一了女真各部，建立起后金，从而为满清入主中原奠定了坚实的基础。他一生多次面临险境，却屡屡转危为安，颇具传奇色彩。

努尔哈赤发迹之谜

明朝时，女真分为建州、海西和野人三部。建州部又分为建州卫、建州左卫和建州右卫。建州左卫都指挥使一职由努尔哈赤的家族世代继承。明嘉靖三十八年（1559），努尔哈赤生于建州左卫赫图阿拉，他的先辈从六世祖猛哥帖木儿起就受明朝册封，官至右都督，祖父觉昌安和父亲塔克世先后担任建州左卫都指挥使。努尔哈赤的母亲喜塔拉氏是建州都督王杲之女，嫁给塔克世后先后生下三子一女，努尔哈赤是长子。

努尔哈赤10岁那年，喜塔拉氏去世。塔克世娶了哈达部贝勒王台的养女那拉氏，从此他们兄弟几人的日子就不怎么好过了。那拉氏刻薄尖酸，对喜塔拉氏所出之子冷眼相看，还在丈夫面前说他们的坏话，以致塔克世对几兄弟产生了意见。

为了躲开继母的白眼，努尔哈赤常到抚顺、清河等地经商，结识了不少朋友，学会了蒙、汉族的语言文字。他还喜欢看《三国演义》和《水浒传》，从中学习韬略兵法。

明万历二年（1574），由于终为继母所不容，15岁的努尔哈赤被迫带着比他小5岁的弟弟舒尔哈齐寄居于外祖父王杲家，说是寄居，实为人质。王杲与王台有杀父之仇，塔克世是王杲的部将，却薄待王杲之女所出之子，对王台之女那拉氏百般迁就，又与明朝边将李成梁往来密切，甚至暗引明军擒拿王杲。塔克世家庭矛盾的背后实际上是觉昌安父子与王杲的冲突。

同年，王杲被明军剿捕，后被杀。王杲去世后，努尔哈赤带着舒尔哈齐投奔到明将李成梁的手下当差，他作战勇猛，屡立战功，深受李成梁器重。万历十一年

（1583），图伦城城主尼堪外兰引明兵攻打王杲之子阿台、阿海。努尔哈赤的祖父觉昌安和父亲塔克世误为明军所杀。努尔哈赤悲痛欲绝，一番深思后，决定离开明军，继承父亲的职位，为祖父和父亲复仇。

努尔哈赤不敢直接向明朝宣战，他将怒火对准了尼堪外兰，兴兵攻打势力强大的尼堪外兰。努尔哈赤此举遭到了建州各部的反对，他们对神结盟，发誓要杀死努尔哈赤，以挽救全族人的性命。

努尔哈赤接连挫败了族人的暗杀行为，一举攻破图伦城，迫使尼堪外兰远走他乡，其他各部落也纷纷归依他。明万历十五年（1587），努尔哈赤统一了建州三卫，于呼兰山下修筑佛阿拉城，自称女真国淑勒贝勒。此后，他屡屡用兵，兼并海西女真四部（辉发、乌拉、哈达和叶赫），征战蒙古，大大扩张了势力范围。

努尔哈赤自知尚未有实力出兵明朝，于是向明朝表示忠顺，先后被明朝封为“建州左卫都督佥事”和“龙虎将军”。明万历四十四年（1616）正月初一，努尔哈赤在赫图阿拉城即位，自称金国汗，定国号为金（史称后金），年号天命，俨然成为了东北之王。

囚弟杀子成王道

努尔哈赤之所以能称王，凭的是坚韧不拔的精神，还有能忍他人不能忍之辱、绝他人不能绝之情的冷静乃至冷酷。凡是阻止他成功的人，无论是谁，他都会不由分说地杀掉，即使是亲人也不例外，他的弟弟舒尔哈齐和儿子褚英便是他称王道路上的牺牲品。

舒尔哈齐生于明嘉靖四十三年（1564），比努尔哈赤小5岁，兄弟两人感情深厚。祖父和父亲死后，努尔哈赤决定为亲人复仇，舒尔哈齐毫不犹豫地支持兄长的决定。凭着十三副甲胄，两兄弟不畏势单力薄，开始了漫长的征战之路。在努尔哈赤崛起之初，诸事艰难，遭遇过无数艰难险阻，甚至有过绝境，舒尔哈齐始终如一追随在兄长身旁，随同征战，出谋献策，立下了无数战功。

努尔哈赤在赫图阿拉城称汗后，舒尔哈齐被封为贝勒，成为第二号人物，地位仅次于兄长。随着势力的扩大，两兄弟的

→女真人骑射图
女真人向来熟习弓马，骁勇善战，当时就有“女真不满万，满万不可敌”的俗语。

感情在权力斗争面前出现了裂痕，努尔哈赤隐隐感到了弟弟的威胁，开始有意贬低弟弟的功劳。受到兄长的猜疑，舒尔哈齐愤愤不平，也逐渐起了异心，萌发了与兄长分庭抗礼的念头。舒尔哈齐一边积极地与明朝发展密切关系，一边通过联姻等形式加强与诸女真部落的联系，借以扩充实力。明万历二十四年（1596），他娶了乌拉部落的酋长布占泰之妹为妻，次年他又将自己的女儿嫁给了布占泰，如此一来他与乌拉部落便结成了牢固的同盟。因此，他的声望逐渐与努尔哈赤平分秋色。女真各部酋长朝见时，两兄弟分南北落座，同时受贺。朝鲜使者到满洲，面见努尔哈赤和舒尔哈齐也是行相同的礼仪，并向两人馈赠同样的礼物。他们二人也分别举行酒宴，在各自帐中款待朝鲜使者，回赠礼物。对外，两人同是建州女真的首领，明朝的史书中分别称他们为“都督努尔哈赤”和“都督舒尔哈齐”。

对于舒尔哈齐的这种行为，努尔哈赤感到忍无可忍。明万历二十七年（1599），努尔哈赤讨伐哈达部。舒尔哈齐因怀疑城中敌人早有准备，出击略显踌躇。努尔哈赤在哈达城下当众怒斥舒尔哈齐怯战。舒尔哈齐心中不快，两人的不和逐渐浮上水面。在诸贝勒共同参加的会议上，两人常因意见相左而激烈争吵。至此，两兄弟的决裂已是无法避免。

明万历三十五年（1607），原归属乌拉部的蜚优城准备率部众归附建州。舒尔哈齐和乌拉贝勒布占泰是姻亲关系，他暗中将此事通报了布占泰。

努尔哈赤派兵迎护蜚优城来归部众，舒尔哈齐为主帅，随行的还有努尔哈赤的长子褚英、次子代善以及大将费英东等人。行军途中，舒尔哈齐借口军旗发光，不是吉兆，要求回师，褚英等人力争，才得以前进。到达乌碣岩时，布占泰伏击了建州军，舒尔哈齐没有参加战斗，褚英、代善领兵拼死奋战才突出重围。

此后，努尔哈赤借口舒尔哈齐在乌碣岩之役作战不力，下令将其麾下二将处死。舒尔哈齐激烈反对，二将才得以免死。努尔哈赤自此逐渐夺去他的兵权，严加防范。舒尔哈齐的地位由此一落千丈，他感到大祸将至，又不愿从此碌碌无为。于是与长子阿尔通阿、三子扎萨克图商议，图谋另立门户。明万历三十七年（1609），舒尔哈齐带着几个儿子和部属离开赫图阿拉，移居浑河上游的黑扯木，公开与努尔哈赤决裂。

努尔哈赤大怒，他果断采取了强硬措施，没收了舒尔哈齐的家产，并诛杀了阿尔通阿和扎萨克图。努尔哈赤余怒未消，还打算处死舒尔哈齐的次子阿敏，在皇太极等人的极力求情下，阿敏才逃过一劫。

努尔哈赤把舒尔哈齐囚禁在一间暗无天日的囚室中，四肢用铁锁锁住，仅有一

←沈阳故宫
沈阳故宫是努尔哈赤和皇太极两汗王营造和使用过的宫殿。它占地6万多平方米，是举世无双的以满族风格为主的宫殿建筑群。

个洞“通饮食”，另一个洞“出便溺”。明万历三十九年（1611）八月，舒尔哈齐在囚禁中死去，时年48岁。有人认为，他是被努尔哈赤秘密杀害的。

继舒尔哈齐之后，努尔哈赤的长子褚英也因权势之争步上了绝路。褚英生于明万历八年（1580），其母是努尔哈赤的发妻佟佳氏。他骁勇多谋，能征善战，在乌碣岩大战中，他的出色表现受到努尔哈赤的赞赏。自从舒尔哈齐死后，努尔哈赤开始让褚英带兵并主持国政。此举说明努尔哈赤有意将汗位传给褚英。这无疑使褚英成为了众矢之的，尤其是四贝勒和五大臣的眼中钉。

四贝勒是努尔哈赤器重的四个子侄：代善、阿敏、莽古尔泰和皇太极，他们皆

↑清太祖努尔哈赤像

觊觎汗位，企图推翻褚英的嗣子之位。早年跟随努尔哈赤打天下的费英东、额亦都、何和礼、扈尔汉与安塞扬古等五大臣也不满年轻资浅的褚英凌驾于他们之上。褚英又操之过急，为了掌握军国大权，不惜削弱四贝勒和五大臣的实力。如此一来，更加引起他们的不满，也让努尔哈赤隐隐感觉到被架空的威胁。

四贝勒和五大臣联合向努尔哈赤告状，状告他为人不公，欺凌贝勒，威迫大臣。努尔哈赤令褚英当面对质，在众叛亲离的处境下，褚英只回答了句：“吾无话可辩。”究竟是心虚还是他知道辩也无用？后人无从得知，只知道褚英从此被解除了兵权。明万历四十一年（1613），褚英被幽禁，两年后，他被努尔哈赤下令处死，年仅36岁。

金国汗死亡之谜

天命十一年（1626）正月，后金大军抵达军事重镇宁远城下，所向披靡的大军遭到了明大将袁崇焕的顽强抵抗。激战后，努尔哈赤兵退沈阳，不久便撒手人寰。

突然驾崩的努尔哈赤为自己的子孙们留下了未竟的大业，同时，也给后人留下了许多不解之谜。关于他的死因，史学界争论不休，至今仍然没有定论。争论的焦点主要集中在：他是被袁崇焕的炮火所伤而死，还是因为身患毒疽不治身亡？

清史提及努尔哈赤之死时，称他是得病而死，但是细节语焉不详。崇德元年（1636）编纂成的《清太祖武皇帝实录》

卷四记载：

天命十一年（1626）七月二十三日，努尔哈赤感到身体不适，于是前往清河泡温泉疗养，没想到月末却更加严重了。他乘舟回京（盛京），派人请大妃前来迎接，两人在浑河相遇。在离沈阳四十里的叆鸡堡，努尔哈赤驾崩。

从生病到病逝，不过半个月时间，努尔哈赤到底得的是什么病？据《明熹宗实录》记载，袁崇焕认为努尔哈赤因为大败于宁远，抑郁愤懑，背上患毒疽而死。明人沈国元的《两朝从信录》也持同样的说法。这样看来，努尔哈赤的死因似乎已有定论，然而朝鲜人李星龄著的《春坡堂日月录》却出现了不同的说法。他认为努尔哈赤是因为攻打宁远时为明军的炮火所伤，所以才不治身亡。《春坡堂日月录》提及朝鲜的一个翻译官韩瑗受到袁崇焕的喜爱，跟随在袁崇焕的身边，亲眼目睹了宁远之战的全过程。据史料记载，天命十一年（1626），努尔哈赤率军兵临宁远城下。宁远守将袁崇焕严词拒绝努尔哈赤的招降，亲率兵民万人顽强守城。他们在宁远城上架设了11门红夷大炮，向后金大军开火，造成敌军伤亡无数。

↓努尔哈赤御册、玉玺

那么努尔哈赤究竟有没有被大炮击伤呢？根据韩瑗的回忆，努尔哈赤在宁远之战中受了重伤，袁崇焕还准备了礼物，明为慰问，实为讥讽。由于受了重伤，并且精神上也受到极大的打击，努尔哈赤整日悒悒不自得，最终郁郁而终。“炮击重伤说”虽有合理之处，但同时也遭到了多名学者的质疑。不过，《春坡堂日月录》是孤证，是唯一的证据，没有其他的史料可以佐证。从当时袁崇焕的反应来看这一论断也站不住脚，倘若努尔哈赤真的被炮击伤，那就是明军的重大胜利，然而为何袁崇焕在多次报告宁远大捷的奏折中，没有提及此事？明朝表彰袁崇焕的圣旨及大臣祝贺宁远大捷的奏疏中，又为何只字不提努尔哈赤受伤一事？

再者，从宁远之战到努尔哈赤逝世，期间长达8个月，在这8个月中，努尔哈赤不仅亲征蒙古，还回师沈阳抵抗明将毛文龙的进攻，看不出健康有何异常之处，直到七月才有了努尔哈赤生病的记录。炮击重伤说不能成立，然而抑郁病死说似乎也不准确，为何努尔哈赤直到宁远之战8个月后才抑郁病发？这个时间段未免过长了。很有可能是努尔哈赤年近七旬，多年马上征战给他的健康带来了极大的隐患，再加上患上了难以治愈的背疽，所以不久便病逝。

最爱是宸妃

皇太极和海兰珠

在皇太极的后宫中，曾出现过博尔济吉特氏三女共侍一夫的情况。这三位女子各有千秋，哲哲为皇太极所敬，布木布泰为皇太极所喜，但皇太极最爱的女人却是宸妃海兰珠。皇太极为她喜，为她悲，为她呕心沥血，可谓是情深意浓。

明万历四十二年（1614），蒙古科尔沁部贝勒莽古思之女哲哲远嫁皇太极为妻，时年15岁，比皇太极小8岁。皇太极继承汗位后，哲哲被封为大福晋。皇太极对哲哲十分喜爱尊重，可惜她一直没有生育。天命十年（1625）二月，皇太极迎娶了哲哲的侄女布木布泰，即后来的孝庄太后。此后的几年里，哲哲和布木布泰分别生下了几个女儿，却始终没有儿子。

海兰珠入宫

为了巩固清与科尔沁部的关系，皇太极又于天聪八年（1634）迎娶了哲哲的另一个侄女、布木布泰的姐姐海兰珠为妃。崇德元年（1634）四月，皇太极在盛京（今辽宁沈阳）称帝，立国号为“清”，正式册封“一后四妃”，其中哲哲被册封为清宁宫中宫皇后；海兰珠为关雎宫东宫宸妃；布木布泰为永福宫次西宫庄妃。五宫后妃中，蒙古科尔沁部的女子便占了三位，皆姓博尔济吉特氏，其中明事理的哲哲深受皇太极的尊重，而年轻的布木布泰也为皇太极所喜爱，但是皇太极真心爱恋的却是晚于二人进宫的海兰珠。

海兰珠生于明万历三十年（1609），她是哲哲的侄女，也是布木布泰的亲姐姐。她比布木布泰大4岁，却比妹妹晚9年嫁给皇太极。海兰珠嫁给皇太极时已经26岁，史书上关于她的记载也是由此开始，之前的海兰珠名不见经传。

因为她嫁给皇太极的时候年纪太大了，所以后人便揣测她是嫁过人的寡妇，但这些也仅仅是猜测，年纪大并不能作为“再嫁”、“寡妇”的有效证据。年纪大嫁人的女人虽少但并不是没有，“叶赫老女”东哥33岁出嫁，努尔哈赤的侄女孙带格格28岁出嫁。也有人说，史书上之所以没有关于海兰珠嫁过人的记录，是因为寡妇的名头太难听，皇太极有意销毁了这些记载。这个也令人难以信服。五宫后妃中的麟趾宫贵妃娜木钟原是林丹汗的囊囊福晋，衍庆宫淑妃巴特玛·璪也曾是林丹汗的窦土门福晋，林丹汗死后，两位福晋率众归附后金，被皇太极纳为妃子。她们不仅是寡妇，还带着孩子。可见寡妇改嫁在当时是很平常的，没有必要因此故意抹掉海兰珠的过去。

天作之合

天聪七年（1633）四月，哲哲之母科尔沁大妃偕布木布泰的母亲科尔沁次妃，一同来盛京朝见皇太极，同行的还有布木布泰的兄长吴克善等人。皇太极以极高的规格接待。在长达两个月的来访期间，双方相互宴请，确定了皇太极的幼弟多铎与哲哲之妹、哲哲生的皇四女与吴克善之子的婚事，与此同时，也定下了皇太极与布木布泰之姐海兰珠的婚事。

天聪八年（1634），在兄长吴克善的护送下，海兰珠抵达盛京，与皇太极成婚。这桩婚事对双方都有利，皇太极可借此加强和科尔沁部的联系，而当时哲哲和布木布泰生的都是女儿，没有儿子，为了保住博尔济吉特氏在后宫的地位，两人也都极力促成皇太极和海兰珠的婚事。

海兰珠到来时，恰逢皇太极亲率大军西征明朝的大同、宣府一带，收降察哈尔林丹汗的部众回朝不久。听到海兰珠前来的消息，皇太极喜不自禁，偕皇后及诸妃出城相迎，并大设宴席接待送亲队伍。随后皇太极又为大军凯旋和察哈尔诸臣举国来附，以及科尔沁部送来海兰珠这几件大喜事，一起举行了盛大的庆礼。将海兰珠的到来与出征凯旋并列庆贺，可见皇太极对新妃特别重视。

海兰珠文静娴淑，秀丽妩媚，入宫以后，深受皇太极喜爱。两人情投意合，几乎形影不离。崇德元年（1636），皇太极册封五宫后妃，海兰珠被封为关雎宫东宫宸妃，仅次于哲哲皇后，位居

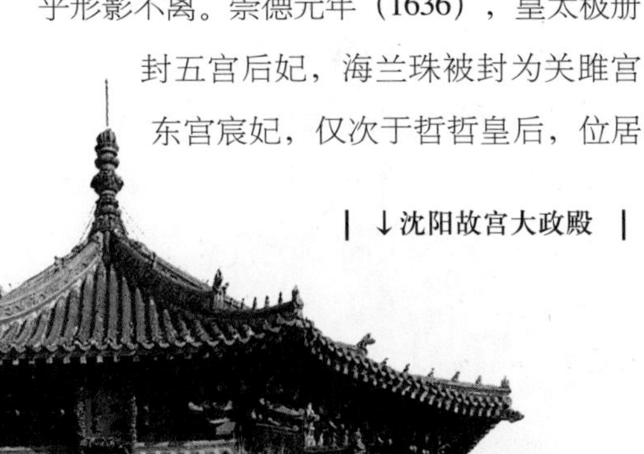

↓沈阳故宫大政殿

四妃之首。并赐其宫室名为“关睢宫”，此名取之于《诗经·关雎》中的“关关雎鸠，在河之洲，窈窕淑女，君子好逑”，表明了皇太极对她缠绵深厚的爱情。

崇德二年（1637）七月，海兰珠为皇太极生下一子，即皇八子。皇八子的诞生让皇太极欣喜若狂，并为此大赦天下。皇太极在赦令中称“今蒙天眷，关睢宫宸妃诞育皇嗣”，他把这个刚来到人世间的婴儿称为“皇嗣”，即代表着他有意立这个刚刚出生的孩子为皇太子。

在此之前，皇太极的元妃钮祜禄氏、继妃乌拉纳喇氏等人已为他育有七个儿子，但这些皇子们诞生时都没有举行过如此盛大的庆典。皇太极的长子豪格当时已经30岁，是皇太极的得力助手，也是大清的核心人物之一，但皇太极也从未表示过让豪格继承皇位。皇太极此举充分表明了他对海兰珠及皇八子的极大宠爱。

天人相隔

然而天不如人愿，崇德三年（1638）正月，未满周岁的皇八子夭折，连名字都未来得及起。《内国史院满文档案》记载：“崇德三年正月二十八日。关睢宫宸妃所生子，诞生七月染疾，至正月二十八日薨。”海兰珠无法承受痛失爱子的打击，终日以泪洗面，皇太极和她母亲的百般劝慰也不能拂去她的悲伤。她整日郁郁寡欢，不久便身染重病。

崇德六年（1641）九月，皇太极御驾亲征，攻打明朝军事重镇锦州。不久，从盛京传来了海兰珠病重的消息，当时正处于战争的紧要关头，皇太极犹豫再三，最终还是不顾一切起驾回朝。他一路马不停蹄，抵达距离盛京城不远的旧边时，见天色已暗，便扎营休息。谁知入夜不久，盛京皇宫遣人来报宸妃病危。皇太极闻报，立即下令拔营启程，连夜赶奔。同时，遣大学士希福等人快马疾驰，先趋问候。

天尚未明，銮驾刚入盛京就传来海兰珠薨逝的噩耗。皇太极犹如五雷轰顶，直扑关睢宫，当看到已合上双眼的海兰珠时，他实在按捺不住心中的悲痛，声泪俱下，涕泣不已乃至昏死过去，经紧急抢救，才渐渐苏醒过来。面对此情此景，诸

←清太宗皇太极像

皇太极（1626～1643在位）为努尔哈赤第八子，后金天命十一年（1626）九月即位称汗。

皇太极名字之谜

在诸多兄弟中，皇太极的名字显得格外不同。清宫官书称皇太极登极后翻阅汉、蒙文书籍，得知汉人储君称“皇太子”，蒙古继位者音亦皇太极，方才明白天意注定他称帝。这不过是清皇室力图证明皇太极为正统的说法，不足为信。

有人认为皇太极本名为“黄台吉”，台吉是太师的转音，蒙古人爱用此名，相当于“贝勒”之意。此命名习惯传至女真部落，努尔哈赤以此为子命名。黄台吉当上皇帝后，觉得“皇太极”更适合他的皇帝身份，便在汉文中改为同音的这三个字。然而近年来学者通过史料考证，认为皇太极原名不是“黄台吉”，而是“黑还勃烈”。还有学者进一步阐明，“勃烈”是“贝勒”的转音，所以皇太极的真实姓名应是“黑还”。此外，还有皇太极名为“阿巴海”一说。

王大臣皆跪地劝皇上节哀。

经众大臣力劝，皇太极才稍止悲痛。他为海兰珠举行了隆重的丧礼，赐谥号为“敏惠恭和元妃”。他还亲自撰写祭文，内容情深义重。在皇太极的坚持下，丧殓仪式以超越常规的规格举行。海兰珠死后火化，暂安于盛京城地载门外五里的墓地，皇太极多次率众王及后宫女眷前往祭祀，每次祭祀他都在灵前奠酒，痛哭不已。回到宫中，皇太极坚持不入宫，而在临时的御屋中居住，以表示对海兰珠的哀悼和怀念。宸妃之丧被视为国丧，皇太极特下诏，崇德七年(1642)元旦大典因为宸妃之丧而停止，举国禁止举行筵宴。在宸妃丧期内作乐的宗室和官吏，都招致了皇太极的怒骂。郡王阿达礼、辅国公扎哈纳便是因为在丧期中作乐，被剥夺了爵位。海兰珠死时才33岁，虽然她和皇太极的婚姻生活只有短短的7年，但她赢得了这位铁血君王最大的爱恋，可以说是一生无憾了。

↑皇太极调兵木信牌

相见于黄泉

自从失去宸妃海兰珠后，皇太极饮食顿减，身体每况愈下。后来，诸王大臣奏请他去蒲河射猎，借以消愁解闷。不想路过宸妃墓时，皇太极触景伤情，不禁又在灵前哭祭一番。

崇德八年（1643）八月九日夜，皇太极处理完政务后，回到寝宫清宁宫，在东暖阁炕上小憩，端坐而崩，史书上记载是“无疾而终”，年仅52岁。如此年纪便去世，可想而知海兰珠的死对皇太极造成了多么沉痛的打击。皇太极驾崩后，葬入昭陵，海兰珠也被迁葬到昭陵。

不爱江山爱美人

顺治帝出家之谜

顺治帝是清朝入关后的第一位皇帝。他冲龄登基，却英年早逝，仅仅活了24岁，给后人留下了不少谜团，甚至连他的最后归宿也出现多种说法。最为流行的说法是他不爱江山爱美人，爱妃董鄂妃死后，他看破红尘，遁入五台山为僧。

不幸福的政治婚姻

在遇上董鄂妃之前，虽然顺治帝拥有十几名妃子，但多是政治联姻，因此他并没有感到幸福，内心反而常常感到苦闷。

顺治帝的第一位皇后博尔济吉特氏是蒙古科尔沁部卓礼克图吴克善之女，她是孝庄太后的侄女，也是顺治帝的表妹。这桩婚事是摄政王多尔衮和孝庄太后做主定下的，当时顺治帝在朝政上处处受到多尔衮掣肘，与孝庄太后的感情也不是十分融洽，因此顺治八年（1651）正月吴克善将女儿送到北京，诸多宗室奏请顺治帝于二月完婚时，顺治帝故意拖延，最后迫于孝庄太后的压力直到八月才举行大婚典礼。

博尔济吉特氏虽然貌美，但是自幼娇生惯养，不懂得体贴人。顺治帝对她本来就没有好感，如此一来愈加感到不耐烦。婚后不过两年，顺治帝便试图废黜皇后。此事引起了朝臣和孝庄太后的反对。顺治帝只好暂时作罢，但心中抑郁，寝食难安，没几日便形容憔悴。孝庄太后毕竟还是心疼儿子，见此情况，只好顺了他的心意。于是顺治帝将皇后降级为静妃，改居侧宫。即使后来顺治帝病重，博尔济吉特氏请求见他最后一面，仍被拒绝。

顺治十一年（1654），顺治帝立另一位博尔济吉特氏为后（即孝惠章皇后），依然是科尔沁部的女子。孝惠章皇后是废后的侄女，也是孝庄太后的侄孙女，可见其中浓厚的政治色彩，也可以想象得到顺治帝的恼怒和不甘。这位博尔济吉特氏很聪明，她知道顺治帝不喜欢她，所以处处避其锋芒，专心服侍孝庄太后，即使是在顺治帝找茬时，也是逆来顺受，让顺治帝找不出把柄来废后，因而顺顺当当地坐稳了皇后之位。

董鄂妃是董小宛吗

心情苦闷之时，顺治帝遇见了董鄂氏，后人多称之为“董鄂妃”。董鄂妃聪颖秀慧，温柔善良，赢得了顺治帝毫无保留的爱。董鄂妃的身世也是清室的一桩疑案，民间对此有诸多说法。最为离奇的说法认为她是江南名妓董小宛，《清宫演义》等野史均持这一说法。

野史故事的情节大致如下：董小宛是秦淮河上的名妓之一，与陈圆圆、李香君、柳如是等人合称“秦淮八艳”。清军降将洪承畴性本好色，早就听闻董小宛的美名，攻占江南时，他将董小宛掠入府中，没想到董小宛心中已有所爱之人，并且不屑洪承畴的为人，誓死不从。洪承畴霸占不成，恼羞成怒将董小宛献入皇宫。顺治帝被这位来自江南的佳人迷住，立即封妃。无奈董小宛心系所爱，又痛恨这位蛮族君主，终日郁郁寡欢，没几年就去世了。

↑清世祖顺治皇帝爱新觉罗·福临像

顺治八年（1651）正月十二日，顺治帝福临亲政。此后，顺治帝在跌宕起伏、纷繁驳杂的10年亲政中，采取了一系列改革措施，有效地巩固了自己的统治，成为清朝开国时期一位刻意求治、颇有作为的年轻皇帝。

故事情节虽然离奇曲折，充满了吸引力，但是据多方考证，这一故事是文人胡编乱造出来的。历史上确实有董小宛其人，也确是秦淮名妓，却根本与顺治帝沾不上边。董小宛，名白，字青莲，生于明天启四年（1624）。崇祯十五年（1642），董小宛从良，嫁给江南名士冒辟疆为妾。战乱中，两人颠沛流离，相依为命。后来，董小宛因劳瘁过度，于顺治八年（1651）病死。

董小宛比顺治帝大了14岁，而且她病死时，顺治帝才14岁，两人年龄相差悬殊，如何能相知相爱？因此董小宛即董鄂妃一说纯属捕风捉影。那么为何人们会将这两个人联系到一起？一来，她们都是温柔似水的绝色佳人；二来，她们的姓中都带有一个“董”字，一些无聊文人便无中生有，编出了这段风流韵事。其实，董鄂妃的“董”是满语译音，“董鄂”也被译为“栋鄂”、“东古”、“冬古”、“东果”等。

还有一种说法认为董鄂妃是顺治帝之弟襄亲王博穆博果尔的妃子，后来被顺治帝看上，纳入宫中。博穆博果尔是皇太极的第十一子，顺治十二年（1655）被册封为和硕襄亲王，翌年去世，年仅16岁。据说博穆博果尔的死颇有蹊跷。

这一说法来源于德国传教士汤若望。汤若望是顺治帝的老师，有一段时间，两人关系十分密切，顺治帝还尊敬地称呼汤若望为“玛法”（满语“爷爷”的音译）。有人根据汤若望生前遗留下来的书信和回忆录等相关资料撰写了《汤若望传》一书，记述了汤若望在中国大半辈子的经历。其中有汤若望的一段回忆：

“顺治皇帝对于一位满籍军人之夫人，燃起了一种火热爱恋。当这一位军人因此申斥他的夫人时，他竟被对此有所闻知的天子亲手打了一个极怪异的耳掴。这位军人于是怨愤致死，或许竟是自杀而死。皇帝遂即将这位军人的未亡人收入宫中，封为贵妃。”

汤若望并没有明说这位贵妃是谁，也没有指出“满籍军人”的姓名，后来有史学家专门对此进行了考证，认为这位“满籍军人”是博穆博果尔，而贵妃便是深受顺治帝宠爱的董鄂妃。孝庄太后的一条谕旨也隐约成为了这一猜测的佐证。

当时清宫有命妇轮流入宫服侍后妃的制度，顺治十一年（1654），孝庄太后认为原无此制，应“严上下之体，杜绝嫌疑”，便废除了这一惯例。于是有人猜测，也许正是在太后的寝宫中，顺治帝偶然遇到了董鄂妃，为她的美貌和才情所倾倒，两人不顾伦常陷入爱河。孝庄太后大为恼火，为了断绝他们的关系，下旨禁止命妇入宫。

董鄂妃的入宫时间也从侧面证明了这一猜测的可信度，对于董鄂妃进宫的情形，史书没有详细的记载，顺治帝在挽词中说她18岁时因品德优秀入选宫中，而选秀制度规定，参加选秀的旗人女子年龄在13岁至16岁之间，董鄂妃已年过16，不太可能通过选秀这一渠道入宫。那么，董鄂妃到底是通过什么方式进宫的？顺治帝又是如何认识她的？这实在是叫人费解。

情投意合

无论是猜测也好，事实也好，董鄂妃毕竟是进宫了，而且获得了少年天子顺治帝的万般宠爱。那么，这位佳人究竟是什么人？又为何能被顺治帝如此爱恋？

其实董鄂妃的身世并不是谜，她是内大臣鄂硕之女，生于崇德四年（1639），其弟是后来深受康熙帝信任的抚远大将军费扬古。董鄂妃容貌秀丽，仪态大方，更重要的是她知书达理，性情温和，品行高洁，谦恭节俭，因而深受顺治帝的喜爱和尊敬。

顺治十三年（1656）八月，董鄂妃刚入宫便被封为贤妃。按常理，初入宫的女子的最初封号往往是级别较低的答应、常在、贵人，而董鄂妃一入宫，便是妃的级别，可见顺治帝对她的重视。

同年十二月，顺治帝认为“敏慧端良，未有出董鄂妃之上者”，因而将董鄂妃册封为皇贵妃，并破格颁诏大赦天下。在不到半年的时间里，她的品级一升再升，地位仅次于皇后。如果不是孝庄太后和董鄂妃本人的反对，顺治帝还想废黜皇后，让董鄂妃取而代之。

次年，即顺治十四年（1657）十月，董鄂妃生下皇四子。爱子的诞生让顺治帝欣喜若狂，他深信在董鄂妃的教导下，爱子必定能成为优秀的君王。尽管已有3个儿子，顺治帝依然在许多公开场合和诏谕中称其为“朕第一子”，表明了他有意立此子为储君。

无奈皇四子命薄，不足百日便夭折了。董鄂妃是个深明事理的女子，入宫后，她得到顺治帝的专宠，但从来不恃宠而骄，反而战战兢兢，上恭恭敬敬地服侍太后和皇后，下对其他妃嫔也是尊重有礼。为了使自己获得后宫的认可，董鄂妃如履薄冰，行事处处小心，在精神上承受着很大的压力。她的身体本来就孱弱无比，现在又突遭丧子之痛，最后一病不起。

无奈红颜遭天妒

为了安慰董鄂妃，顺治帝于顺治十五年（1658）三月，追封皇四子为和硕荣亲王，大修园寝，并亲自为早夭的爱子撰写墓志铭。然而，董鄂妃已是病入膏肓，回天乏术。顺治十七年（1660）八月，一代佳人董鄂妃香消玉殒，年仅22岁。

董鄂妃的死，几乎让顺治帝崩溃，他悲恸欲绝，在董鄂妃死后第三天，追封她为皇后，谥号“孝献庄和至德宣仁温惠端敬皇后”。顺治帝的悲痛到了极点，他命令上至亲王，下至四品官，公主、命妇齐集举哀，又打算让服侍董鄂妃的太监、

↓故宫保和殿

故宫三大殿之一。清代每年除夕、正月十五，皇帝赐外藩、王公及一二品大臣宴，赐额驸之父、有官职家属宴及每科殿试等均于保和殿举行。

宫女殉葬，幸而孝庄太后出面阻止才罢手。董鄂妃的梓宫从皇宫移至景山观德殿暂安，抬梓宫的都是满洲八旗二、三品大臣。顺治帝还下令全国服丧，官员一月，百姓三日。董鄂妃的葬礼已经远远超过一般的定制了。

清制规定平时皇帝批奏章用朱笔，遇皇帝及太后之丧时，改用蓝笔批本，过27天后，再用朱笔，皇后之丧，则无此制。而董鄂妃之丧，顺治帝用蓝笔批奏章，从八月到十二月，竟长达4个月之久。为了彰显董鄂妃的贤德、美言、嘉行，顺治帝还命大学士撰拟祭文，并亲自动笔撰写了《孝献皇后行状》，高度赞美了董鄂妃的品德言行。

爱妃之死，给顺治帝带来了巨大的打击，精神萎靡不振，健康也大受影响。顺治十八年（1661）正月初七，顺治帝崩于养心殿，享年24岁。

↓孝陵神道碑亭

清孝陵位于河北省遵化市马兰峪以西的昌瑞山南麓，是顺治帝福临的陵寝。

顺治帝出家了吗

民间盛传顺治帝没有死，而是装死，隐姓埋名到五台山出家了。其子玄烨继位后，曾多次前往五台山觐见父亲，但顺治帝都避而不见。此说为野史所沿袭，又编出了许多亦真亦假的传说故事。

那么，顺治帝是否真的出家了？可以确切地说，在董鄂妃死后，顺治帝确实有过出家的念头，还因此将清廷弄得鸡飞狗跳，但是最后没有出成。

顺治帝生前崇尚佛教，从顺治八年（1651）他打猎途中偶遇禅师起，便对佛教产生了兴趣。顺治十四年(1657)，顺治帝途经京师海会寺，召见僧人憨璞聪，两人相谈甚欢。憨璞聪向顺治帝引荐了高僧玉林琇、木陈忞等人。顺治帝延请他们入宫讲授佛法，还得了个“行痴”的法号。后来玉林琇又为顺治帝推荐了弟子茆溪森。茆溪森的学识和修养深为顺治帝敬佩，两人常常在一起讲经论禅。

董鄂妃逝世后，顺治帝一时心灰意冷，看破了红尘，执意削发为僧。茆溪森苦劝，顺治帝执意不听。茆溪森不得已，只得为顺治帝剃发。茆溪森临终前做的一首偈语“大清国里度天子，金銮殿上说禅道”，讲的便是他和顺治帝的关系。

此举震惊了满朝文武，连深居后宫的孝庄太后也被惊动了。王公大臣们和孝庄太后的规劝，顺治帝一概不听。见规劝不成，孝庄太后干脆召来了茆溪森的师父玉林琇。

玉林琇自有对付顺治帝的招数，他让茆溪森坐在一堆干柴上，手举火把，对顺治帝说，皇上如果不蓄发还俗，他便将茆溪森活活烧死。顺治帝无法，答应蓄发。之后，他再次向玉林琇表明出家的意愿，并问："佛祖释迦牟尼和禅祖达摩，不都是舍弃王位出家了吗？"玉林琇回答道："佛祖和禅宗是悟立佛禅，而当今世间需要您护持佛法正义，所以，您应该继续做皇帝。"正是这段规劝，顺治帝才回心转意，打消掉出家的念头。但顺治帝仍然眷恋佛法，在他驾崩的前几天，还亲自把平日最宠信的太监吴良辅送到京城悯忠寺替自己出家。

顺治帝摈弃了出家的打算，正想振作治国安邦，可是在玉林琇的那次谈话后不久，他便患上了绝症——天花。天花在当时是不治之症，顺治帝对此十分恐惧，多次出宫避痘，没想到最终还是染上了天花。

在顺治帝驾崩之前，他召来翰林学士王熙和麻吉勒起草遗诏。王熙在他所著的《王熙自定年谱》中记录了这件事：顺治帝死的前一夜，即正月初六晚，顺治帝召他至养心殿，说："朕患痘，势将不起。尔可详听朕言，速撰诏书。"顺治帝刚说了两句，便疲惫不堪了。王熙担心龙体不堪重负，便奏明待他们将诏书全部拟就再行进呈。顺治帝点头答应。王熙和麻吉勒两人便在乾清宫西朝房连夜起草了遗诏，送到养心殿让顺治帝过目。顺治帝拖着病体修改，直到次日清晨才完稿。当天，顺治帝就去世了。

顺治帝驾崩，宫中举丧后，将其梓宫移至景山寿皇殿。停灵百日后，僧人茆溪森举火将其遗体火化。次年，顺治帝的宝宫（骨灰坛）与孝康章皇后佟佳氏（康熙帝生母）、孝献皇后董鄂妃合葬于遵化孝陵。

八旗制度

八旗制度是清代兵民合一的一种社会组织形式，由女真人狩猎时实行的"牛录"组织演变而来。明万历二十九年（1601），努尔哈赤对牛录组织进行改造，建立四旗，以黄、红、蓝、白四种纯色旗为标志。万历四十三年（1615），他在原有四旗的基础上，又增加了镶黄、镶红、镶蓝、镶白四旗，合为八旗，规定每300人为1牛录，由牛录章京（汉名佐领）管辖；5牛录为1甲喇，由甲喇章京（汉名参领）管辖；5甲喇为1固山，由固山额真（汉名都统）管辖，固山额真即是一旗之主。固山额真下设两名副手，为梅勒章京（汉名副都统）。此时所编设的八旗，即后来的满洲八旗。皇太极在位期间，又建立了蒙古八旗和汉军八旗，旗制与满洲八旗相同。

满洲八旗中有上三旗与下五旗之分。多尔衮死后，顺治帝收回多尔衮所领的正白旗，连同自己所领的正黄、镶黄二旗统归皇室管辖，称为上三旗，担任禁卫皇宫等职务；其余五旗合称为下五旗，驻守京师及全国各地。

少年天子显峥嵘

康熙帝 计除鳌拜

顺治、康熙两朝都是幼主登基，前有摄政王多尔衮擅权，后有权臣鳌拜欺君犯上，越权专横。少年天子康熙帝不甘受缚于人，与鳌拜展开一场夺权行动，最终妙除鳌拜，得以亲政。

四大辅臣

顺治十八年（1661）正月初七，顺治帝福临驾崩。临终前，他立皇三子玄烨为储君，命内大臣索尼、苏克萨哈、遏必隆和鳌拜为辅政大臣。这四位大臣深受顺治帝器重，堪称股肱之臣。这四位大臣论资格行辈，索尼第一，苏克萨哈第二，遏必隆第三，鳌拜第四。

↑少年康熙帝便服像

索尼德高望重，他文武双全，通晓满语及蒙、汉文字，随父兄办过外交，也曾跟随皇太极攻打锦州，屡屡立下战功。皇太极逝世后，他坚持要求立先帝之子为帝，挫败了多尔衮称帝的计划，因而成为了多尔衮的眼中钉。

顺治五年(1648)，摄政王多尔衮遣派索尼祭奠昭陵（皇太极的陵墓）。有人揭发索尼等人阴谋密立肃亲王豪格为帝。多尔衮趁机报复，将索尼削爵抄家。顺治帝亲政后，召令索尼回京，恢复了他的官爵，并擢为内大臣，兼议政大臣、总管内务府。

苏克萨哈本是多尔衮的亲信，多尔衮死后，他翻脸将多尔衮出卖，揭发多尔衮的种种逆迹，也获得顺治帝的信任，升为内大臣。

遏必隆是开国功臣额亦都之子，其母是努尔哈赤的第四女，他颇有战功，皇太极在时受封为牛录章京，多尔衮提拔他为甲喇章京。后遏必隆被人揭发与白旗诸王有隙，安排兵士守护家门。多尔衮将他的官爵削去。顺治帝亲政后，遏必隆讼冤，顺治帝将其复职。

从忠臣到权臣

顺治帝逝世后，康熙帝继位，由于年纪尚幼，不能亲视国事，朝政全由四位辅臣共同商议处理。索尼是四朝元老，位列四大辅臣之首，但此时已年老多病，凡事皆不多言。苏克萨哈名列第二，但他是靠告发多尔衮起家的，所以正直的大臣大多看不起他，索尼、鳌拜与他时常意见不和。遏比隆系出名门，然而缺乏执政能力，遇事无主见，常常追随鳌拜。这便给了鳌拜擅权自重、独揽大权的机会。

鳌拜利用手中的权势迫害与他意见相左的人，他和内大臣费扬古（与董鄂妃之弟费扬古同名）素来有矛盾，而费扬古之子倭赫是康熙帝身边的侍卫，对鳌拜不是太恭敬。鳌拜怀恨在心，康熙三年（1664），他以擅乘御马等罪名处死了倭赫。费扬古恨之，鳌拜又以“怨望”罪将他及其子尼侃、萨哈连一同处死，家产籍没，给了鳌拜之弟都统穆里玛。

此时，鳌拜与苏克萨哈的关系也因换地之事急剧恶化。鳌拜属于镶黄旗，苏克萨哈属于正白旗，镶黄旗和正白旗的矛盾由来已久。多尔衮占领北京及直隶后，允许旗人随意圈地使用。仗着权势，多尔衮将蓟州、遵化府等土地较为肥沃的地区圈给自己所领的正白旗，镶黄旗的地位虽然比正白旗高，却只圈到了河涧等土地较差的地区。

康熙五年（1666），在事过20年后，鳌拜重新翻出老账，要求镶黄旗和正白旗的土地互换。苏克萨哈反对，认为两旗居住已久，不便于换地。鳌拜不加理睬，令户部尚书苏纳海、直隶总督朱昌祚和巡抚王登联办理换地一事。三人商议后，认为不可行，请求停止此事。鳌拜大怒，要求处死三人。康熙帝认为兹事体大，没有同

↓康熙帝用过的弓和箭

意他的意见。鳌拜肆意妄为，竟然直接用康熙帝的名义下圣旨，以“蔑视上命”的罪名将苏、朱、王三人处斩。

康熙六年（1667）六月，索尼病死，不过他在死之前，做了一件有利于康熙帝的事情，他上书奏请康熙帝亲政。是年七月，康熙帝亲政。苏克萨哈经换地一事后，心生退隐之心，于是上疏请求引退，疏中有一句：“乞守先帝陵寝，庶得保全余生。”鳌拜抓住这句话，说苏克萨哈不愿还政于皇上，又罗织了心怀奸诈、久蓄异志等24条罪名，拟将苏克萨哈及长子凌迟处死。康熙帝没有批准。鳌拜竟然挽起袖子，似乎要动手，将康熙帝吓得心惊肉跳。康熙帝被迫准奏，仅将苏克萨哈的凌迟改为绞刑。

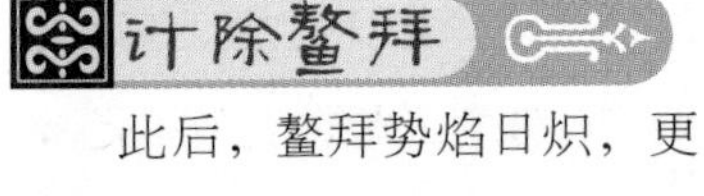

计除鳌拜

此后，鳌拜势焰日炽，更加肆无忌惮，甚至欺凌到康熙帝身上。康熙八年（1669）元旦，鳌拜率诸臣上殿贺年，他穿着黄袍，颜色、式样与皇帝的龙袍一模一样，只不过顶戴有所不同而已。他不顾朝臣的私下议论，目空一切，全然不将康熙帝放在眼里。

康熙帝虽然已经亲政，但实权仍然操控在鳌拜的手里，任免官员、制定政策等大小事，都必须通过鳌拜同意才能执行。有一次，鳌拜装病不上朝，康熙帝亲临其宅第问候。鳌拜的枕席边竟放着一把短刀。按例，臣属面圣不得携带凶器，否则以图谋不轨罪论处，鳌拜却毫无顾忌地将短刀放在身边。侍卫见状欲拔剑护主，康熙帝镇定自若，装作不介意，从容地说：“刀不离身是满洲的旧俗，不必大惊小怪。”不过，这件事后康熙帝却下定了除掉鳌拜的决心。

鳌拜的所作所为已经到了危害皇权的地步，康熙帝有意除去他。然而鳌拜手握大权，党羽满朝，稍有不慎，便可能引起大乱。因此，康熙帝不敢贸然行事，只得暗中谋划活捉鳌拜。他让自己的心腹索额图（索尼之子）以陪伴皇帝玩乐为名，从八旗子弟中挑选机灵强壮的少年进宫，学习角斗、摔跤。这些少年

↑清·铜鎏金狮子表

↑康熙帝楷书墨迹

被称为“布库少年”，布库意为“摔跤胜者”。在这些布库少年中，有一个叫做拜唐阿的少年力气最大。

康熙帝天天和布库少年在武英殿里摔跤玩乐，鳌拜以为少年贪玩，心中不以为然。康熙帝为了稳住鳌拜，又加封他为太师。如此一来，鳌拜对小皇帝更没有了戒心。康熙帝除掉鳌拜的决心却是越来越强烈。康熙八年（1669）五月初三，康熙帝借口有要事相商，在武英殿单独召见鳌拜。鳌拜大摇大摆地进殿，侍卫拿来一把椅子让他坐下，拜唐阿在椅子背后扶着。康熙帝下令赐茶，宫女用托盘端上茶杯，茶杯事先在开水里煮过，极为烫手。鳌拜没有心理准备，接过茶杯，却因太烫而失手摔下茶杯。他下意识地弯腰去捡，拜唐阿顺势猛推，鳌拜跌倒在地。康熙帝高呼一声：“鳌拜大不敬！”

鳌拜始觉不妙，正当他力图挣脱时，其他的布库少年一拥而上，将他七手八脚捆住。逮捕鳌拜后，康熙帝命诸王和大臣审议此案，经审讯，共列出鳌拜30条罪状，论罪该死。康熙帝念及鳌拜为朝廷效力年久，屡立战功，特宽厚处理，免除死罪，改为禁锢，其党羽不是被处死就是被革职，被鳌拜陷害冤死的大臣也纷纷恢复了名誉。不久，鳌拜在禁所中死去。康熙帝从此开始了真正意义上的亲政，拉开了康乾盛世的序幕。

铁帽子王

“铁帽子王”是世袭罔替（世代承爵不降级）王爵的俗称，清代官员品级的一个重要识别标志是顶戴（官帽顶部），铁帽子王即意味着顶戴稳固之意。清代宗室爵位共分为12等级，封爵方式则有两种，一种因军功受封，称为功封；另一种是以皇帝直系子孙受封，称为恩封。以军功封爵者多可以世袭罔替；以恩封者一般每一代降封一等承爵，降至辅国将军后则世袭罔替不再递降。

清代共有12位王爵世袭罔替，其中8家以军功封爵，分别为礼亲王代善、郑亲王济尔哈朗、睿亲王多尔衮、豫亲王多铎、肃亲王豪格、承泽亲王硕塞（皇太极之子）、克勤郡王岳托（代善之子）和顺承郡王勒克德浑（代善之孙）。

清代中后期，又有4家因恩封为世袭罔替王爵，即怡亲王允祥（康熙帝第十三子）、恭亲王奕䜣（道光帝第六子）、醇亲王奕譞（道光帝第七子）和庆亲王奕劻（乾隆帝第十七子永璘嫡孙）。

QINGGONG MISHI

传位诏书真假难辨

《《《《 雍正帝即位

康熙帝晚年时皇位的争夺战残酷而激烈，为了至高无上的权力，诸皇子斗得你死我活。论出身，论才干，皇四子胤禛都不是最具有优势的，但最终登上帝位的却是这位擅长韬光养晦的皇子。是合法继承还是矫诏篡位？雍正帝胤禛的继位成为了一个说不清道不明的谜团。

突如其来的继位

康熙帝在位长达60余年，他一共有35个皇子、20个公主，一个养女。皇子众多，意味着储君之位竞争激烈。在诸多皇子中，主要分为三派，一派是皇太子胤礽以及拥护者皇三子胤祉；另一派是皇八子胤禩以及拥护者皇长子胤禔、皇九子胤禟、皇十子胤䄉、皇十四子胤禵；第三派是皇四子胤禛及拥护者皇十三子胤祥、皇十七子胤礼。

在三派中，胤禛的势力最弱，他的母亲只是一个妃子，在后宫中的地位一般，而他的同母弟皇十四子胤禵不但不帮助他，反而依附皇八子胤禩，专门与他作对。

原本皇太子胤礽一派呼声最高，然而胤礽却“不仁不孝”，触怒康熙帝两立两废太子，最终将之圈禁。皇长子胤禔是庶出，不得康熙帝欢心，他见无望登上帝位，只好投奔了皇八子胤禩。胤礽第一次被废后，胤禔向康熙帝提议立皇八子胤禩为太子，处死废太子胤礽。康熙帝闻言大怒，也将胤禔圈禁起来，从此对胤禩有了成见。后来，他又查出胤禩结党营私、心怀不逆，便革去了胤禩的贝勒爵位。于是，胤禩也被踢出局了。

皇子们的残酷争斗让康熙帝心力交瘁，自此不再立太子。在康熙帝的晚年，皇十四子胤禵比较受宠，被授任为“抚远大将军”，驻守西宁。废太子胤礽虽然被圈禁，但朝中也有老臣力保他。然而康熙帝对于请求立太子的奏折一律是留而不发，没有人能摸清他心底的真正想法。

康熙六十一年(1722)十一月初七，康熙帝在畅春园病重，步军统领、理藩院尚书隆科多奉命侍疾。十二日晚，诸皇子齐集畅春园。次日，康熙帝病逝。当晚皇四子胤禛命令淳郡王胤佑守卫畅春园，十六阿哥胤禄、世子弘升肃清宫禁，用銮舆运载康熙帝遗体，悄然运回紫禁城乾清宫。

十四日，宫中传出先皇遗诏谕令胤禛即帝位，京师气氛紧张，各派势力蠢蠢欲动。胤禛下令关闭京城九门，秘不发丧，进行戒严。二十日，胤禛正式登基称帝，即雍正帝。

疑点重重

胤禛继位后，广泛打击曾是他政敌的兄弟。远在西宁的皇十四子胤禵被召回，却不允许入京，只得留驻于河北遵化康熙帝的景陵，行动范围遭到限制。皇九子胤禟被派往西宁接掌兵权，却不给任何名义，等同于充军，后被寻罪逮捕，改名为“塞思黑”（意为猪），暴卒于押解回京途中。皇三子胤祉先是被派遣去守护景陵，后被关押，死于狱中。皇十子胤䄉被胤禛以“私自禳祷”的罪名关入大牢。皇八子胤禩被削去宗籍，改名“阿其那”（意为狗），禁闭于宗人府，死于狱中。皇长子胤禔和废太子胤礽早被康熙帝幽禁，胤禛继续将他们禁锢。

康熙帝从病重至逝世不过6天时间，继位的不是废太子胤礽或皇十四子胤禵，而是皇四子胤禛，其中确实存在可疑之处。再加上胤禛为人冷酷，继位后打击兄弟过于狠绝，有违兄弟孝悌之道，引起民间的不满。于是关于胤禛继位的合法性问题，民间有了多种说法，野史中更是

↑雍正帝像

众说纷纭，认为胤禛的皇位是靠弑父矫诏得来的。

胤禛可否有弑父、矫诏之举？关于前者，民间传得有鼻子有眼，说胤禛在康熙帝病重时，进了一碗参汤，康熙帝喝了就驾崩了。其实这种说法是站不住脚的，康熙帝一向不喜吃人参，而且皇帝进药之前，必先由内侍尝试，再者还有御医随侍，胤禛进参汤毒死父亲的风险太大了。况且当时康熙帝已是风烛残年，胤禛韬光养晦了这么多年，也不会急于一时。

关于后者，野史也有说法，认为康熙帝本来想传位于皇十四子胤禵，胤禛串通隆科多将遗诏上的“传位十四子”改为“传位于四子”。这一说法流传得最广，却经不起推敲。清宫向来是满汉两种文字

并用，汉文传位诏书均写为“传位皇某子”，绝不会只写“十四子”，而且清代诏书中“于”与“於”字不能互用，诏书中用的都是“於”字，因而无法更改添加。尽管这一说法被否决，但是胤禛继位的合法性却始终有所争议。关于其继位问题，史学界历来有两种意见，一种认为康熙帝并未传位给胤禛，他是矫诏夺位；一种认为胤禛受康熙帝遗诏继位，属于合法继承。

这两种说法都有依据可支持，但也都有疑点。当康熙帝驾崩后，隆科多宣读遗诏时，一些大臣对他只宣读满文本而不宣读汉文本遗诏的做法曾提出异议。胤禛搪塞而过，多日后才出示汉文本遗诏，而这份汉文本遗诏经考证是伪造的。遗诏字迹潦草，且明显有多处涂抹及错字，其中尤为值得注意的是，遗诏开头为：“唯我国家，受天绥佑，圣祖神宗，世祖皇帝统一疆隅，我皇考大行皇帝……”“圣祖”是康熙帝的庙号，他留遗诏之时如何知道后人称他为“圣祖”？只能解释这一文本是后人伪造出来的。

即位后，胤禛秘密去除康熙帝病时侍候在侧的内侍，查禁有关胤禵的档案，销毁了许多康熙帝与胤禵往来的奏折手谕，并篡改销毁其他大量文献档案。胤禛防范的是什么？自然不难想象，他担心其中会留下对他不利的证据。几年后，胤禛自知民间对他继位之事有所疑虑，因此特地下诏说明康熙帝临终口授传位的情况，说康熙帝病重之时，召皇三子胤祉、皇七子胤佑、皇八子胤禩、皇九子胤禟、皇十子

↓先农坛祭祀图

先农坛在北京正阳门外西南，建于明嘉靖年间，是皇帝祭祀神农的地方。神农是古代传说中最先教人耕种的人。每年春，皇帝要亲率众臣到先农坛行耕藉礼，以祈求丰年。图为清雍正帝先农坛祭祀神农图。

胤䄉、皇十三子胤祥和理藩院尚书隆科多至病榻前，亲口下谕传位于他。然而雍正帝的“补充说明”是在登极后7年才做出的，当时这8人死的死，幽禁的幽禁，再不然就是他的同党，死无对证。

合法继承的可能性

那么雍正帝有没有可能是合法继位？首先要辨明雍正帝即位是不是爆冷门。康熙帝晚年，比较受宠的皇子有胤禵无疑。康熙五十七年(1718)，康熙帝任命胤禵为抚远大将军，出发前，他还亲自主持仪式，希望胤禵能取得军功，提高声望，但这并不代表胤禵就是康熙帝心中属意的皇位继承人。当时康熙帝年纪已高，不太可能将继承人派到遥远危险的西北边疆作战。一来胤禵的生命安全不能保证，二来康熙帝身体羸弱，随时有可能驾崩，如果等待胤禵闻讯赶回，必定为时已晚。后来事态的发展也证实了这一点，胤禛在胤禵回京之前，已经打理妥善，清除了胤禵的势力，胤禵一回来，便被变相圈禁，无力改变局势。身为深谋远虑的政治家，康熙帝不可能不想到这一点。

值得注意的是，康熙帝虽然宠爱皇十四子胤禵，但是他对皇四子胤禛也是十分喜欢的。胤禛10岁受封为贝子，32岁晋封为亲王，在诸多兄弟中，他不显山不露水，保持中立的态度，不结党（他的一党是在康熙晚年才结成的，而且做得比较隐秘），超脱于皇子们的朋党之争。康熙四十七年（1708），康熙帝废掉皇太子之后，因伤心过度病倒。其他皇子趁太子被废之机展开激烈的争斗。胤禛却避开争夺，专心侍候康熙帝，也经常为被废的皇太子胤礽说好话，从而给康熙帝留下了良好的印象。康熙病愈之后还亲自下诏褒扬胤禛“性量过人、深知大义”。

胤禛一方面博取康熙帝的信赖和喜欢，另一方面也暗中发展自己的势力，将皇十三子胤祥、皇十七子胤礼拉到自己的阵营，同时也将康熙帝面前的红人隆科多和年羹尧争取了过来。

在诸皇子纷纷落马的情况下，康熙帝逐渐有意立胤禛为储君。胤禛先后代替身体渐弱的皇父参加祭祀有22次之多，居皇子之冠。康熙帝还多次召胤禛共商军国大事，表明了他对皇四子的重视。

也有人认为，胤禛能登上帝位是沾了其子弘历（即后来的乾隆帝）的光。康熙帝对聪明伶俐的弘历宠爱有加，为了传位给心爱的孙子，所以选择胤禛为皇位继承人。弘历出生于康熙五十年（1711），康熙帝逝世时他不过12岁，即使再聪明伶俐，也不过是个童稚小儿。康熙帝对弘历倍加宠爱，其实可以看作是对胤禛的一个暗示。

对于雍正帝继位之谜，学者们各执一词。然而无论矫诏夺位也好，合法即位也罢，都没有确凿的证据。事实的真相更有可能是康熙帝在胤禛和胤禵之间犹豫不决，在尚未下最终决定之前便突然去世，胤禛及时抢占时机，清除对手，迅速登上帝位，成为笑到最后的人。

QINGGONG MISHI

神秘武器

血滴子

在众多描写清朝宫闱秘闻的小说中，无疑以对雍正一朝的描述最为神秘。雍正帝老谋深算，在位期间罗织文网，广布耳目，令人闻之色变。经由野史渲染，他的种种统治手段更是被蒙上了层层诡秘的色彩，“血滴子”正是其中的最大谜团。

“血滴子”从何而来

鼎鼎大名的“血滴子”，在清朝的各种正式史料、档案中并不见踪迹。就算是雍正朝及其后的很长一段时间内写就的各种笔记小说中，也不见有关这种神秘莫测的兵器的描述。

直到清末民初，市井之间兴起一股谈论宫闱秘闻的热潮。政治气氛紧张神秘的雍正朝，自然是文人创作的绝佳题材。当时用雍正帝轶事做为谈资的小说，有胡蕴玉的《胤禛外传》、孙剑秋的《吕四娘演义》、紫萼的《梵天庐丛录》、蔡东藩的《清史演义》、燕北老人的《满清十三朝宫闱秘闻》等。这些当时被称为“新讲话”的通俗小说，即便识字不多的市民也能读懂，因此受到了极大欢迎，流传很广。

这些小说声称借史实演绎成篇，其实都是择取民间传说，进行艺术加工而成。凭着一枝枝生花妙笔，文人不但凭空创造出吕四娘这样一个身负血海深仇、潜入深宫刺杀雍正帝的侠女形象，还为雍正帝手下的特务机关配备了“血滴子”这样来无影、去无踪却又百发百中的武器。

“血滴子”是什么武器

在小说中，血滴子是专门把人头从人的脖子上取下来的武器。虽然古代中国的很多武器都能使人身首异处，但在文人充满想象力的笔下，血滴子却不是寻常的武器。

有的野史称，血滴子在使用的时候，是“放出去”的。持有血滴子的人并不需要直接掌控武器，便能取下人的首级，颇有些“取人性命于千里之外”的意味。在使用时，血滴子和目标的距离不会太远。使用者把血滴子放出去或是抛出去，它便会把人的头颈部罩住，飞快割下人的头并一同收回来。被血滴子所害的人便成了无头尸体，十分恐怖。

有的小说将血滴子描述成一种半球形的器物，内藏一圈锋利无比的快刀，用时把它扣在对方的头上，开动机关，就能把人头轻易地割下来。有的小说则认为血滴子外形酷似皮筐，大小刚好能容下人头，筐口装有锯子，筐上有铁链，一抛出去套上人头，锯子就会切断脖子。还有的则说“血滴子”是一条长铁链连着一个圆帽型的金属，可套住敌人的头颅。金属帽子的边缘有很多长刀齿，当血滴子套着敌人头颅时，刀齿就会把敌人脖子切断。在飞行途中，血滴子还会连续发出震憾人心的恐怖声音。更玄的是，有的小说还言之凿凿血滴子里面装有化骨水，能把割下的人头融化在其中，从而毁“头”灭迹。

在文人笔下，血滴子及其使用者为雍正帝夺权篡位、铲除异己立下了汗马功劳，常常神不知鬼不觉地除掉对雍正帝有异心的反叛者。而这批擅用血滴子的高手，人数还不少。编写故事的文人们为他们安排了一个完美的结局，“狡兔死，走狗烹”，雍正帝借使用血滴子的江湖杀手排除异己，然后又杀了这些人灭口，从此这种独门兵器成为江湖传说。如此一来，雍正帝的形象更加阴森可怖了。

也有人根据清宫的诸多文档考证，血滴子实际是一种极毒的毒药。这种毒药是用毒蛇的毒液混合一种毒树的汁液炼成，一滴就能令人通身溃烂而死，故称“血滴子”。炼制这种毒药的主要原料是一种名为“撒树”的树木的汁液，出产在广西边境的深山老林中。苗人所用的毒箭，箭簇上所敷的“见血封喉”的毒药，就是用撒树汁熬成的。

↓《雍正行乐图》之竹林弹琴

雍正三年（1725），雍正帝向广西巡抚李绂发去一封密旨，要李绂在广西寻找一种毒树汁。雍正帝在密旨上说：“近闻贵州诸苗之中，獞苗之弩最毒。药有两种，一种草药，一种蛇药。草药虽毒，熬成两月之后，即出气不灵。蛇药熬成，数年可用。但单用蛇汁，其药只能溃烂，仍有治蛇之药可医。更有一种蛮药，其名曰‘撒’，以此配入蛇汁熬箭，其毒遍处周流，始不可治。闻此‘撒’药，系毒树之汁，滴在石上凝结而成。其色微红，产于广西泗城土府。其树颇少，得之亦难。彼处猎人暗暗卖入苗地，其价如金，苗人视为至宝。尔等可著人密行访问此树，必令认明形状，尽行砍挖，无留遗迹。既有此药，亦应有解治之法。更加密密遍处访询，如有解毒之方，即便写明乘驿奏闻。”

根据这道密旨，有人认为雍正帝的“血滴子”根本不是什么取人首级的利器，而是由南方少数民族传来的毒药。

雍正帝与“血滴子”

从锋利的筐状武器，到剧毒的秘药，尽管“血滴子”在文人的笔下变幻莫测，最终却都指向了一个人：雍正帝。关于“血滴子”种种血腥阴森的描写，到最后无非都是为这个夹在康乾盛世之间的皇帝添上更为神秘的色彩。

从登基称帝开始，雍正帝就身陷于“弑父夺位”的传闻中。而登位后推行严苛吏治、大兴文字狱，更让民间对这位皇帝有了恐惧之心。民间故事中对雍正帝及其特务统治的描述，多半也带有这种心理的投影。

但小说往往也有着事实的影子。尽管文人笔下的“血滴子”纯属子虚乌有，雍正帝的八弟“阿其那”(允祀)、九弟“塞思黑”(允禟)都是为“血滴子”所杀更是无稽之谈，不能作为信史。然而，身处弱势地位却最终夺得争储斗争胜利的雍正帝，确实得力于他手下训练有素的情报组织——“粘

←《雍正行乐图》之山中独行

竿处”。

顾名思义，“粘竿处”是一个专门从事粘蝉、捉蜻蜓等服务的机构。雍正帝还是皇子时，住在北京城东北新桥附近。府邸内树木枝繁叶茂，每逢盛夏初秋，鸣蝉聒噪不已。胤禛喜静畏暑，往往命门客、家丁操竿捕蝉。在皇位的争夺斗争中，胤禛表面上与世无争，暗地里却步步为营，加紧了争储的步伐。他招募江湖中的武功高手，训练家丁队伍，以粘蝉捕虫的身份为掩护，四处刺探情报、铲除异己。

雍正帝能击败众多皇子登上皇位，除了本身工于心计、政治手腕了得之外，这支看似不入流的“除虫”队伍也功不可没。雍正帝登上皇位后，继续保留了这一特殊机构，在内务府之下特别设立了“粘竿处”机关。“粘竿处”的头子名“粘竿侍卫”，大多为有功勋的雍正藩邸旧人担任，官居高位，权势逼人。“粘竿处”的一般成员则统称“粘竿拜唐”，由内务府包衣奴才充任，虽然品阶不入流，薪水不高，但每天跟随雍正帝左右，直达天听，炙手可热。

雍正帝在对“粘竿处”的人员选择上十分谨慎，以包衣奴才来确认这一机构对自己的绝对忠诚。可见“粘竿处”表面上是伺候皇室玩耍的服务机关，无足轻重，实际上却是一个特务组织。“粘竿处”平时在御花园堆秀山“御景亭”值班观望，山下门洞前无论白天黑夜，都有4名“粘竿侍卫”和4名“粘竿拜唐”坐在上面，直接听命于雍正。小说中所谓的使用“血滴子”的高手，大约指的就是这些人。

“粘竿处”虽属内务府系统，总部却设在雍亲王府，即后来的雍和宫。有人据此认为，雍亲王府曾经有一条专供特务人员秘密来往的通道，为了不致秘密外泄，才改府为宫，将“粘竿处”总部设于此地，加强守卫戒备。今天在雍和宫已找不到任何地下通道的痕迹了。民间传说是雍正帝的儿子乾隆帝为长者讳，将雍和宫改为喇嘛庙时加以彻底翻修，彻底地将雍正时期的特务遗迹消弭殆尽。

↑皇帝朝袍

乾隆帝虽然处心积虑地消除雍正时期留下的种种特务机构遗迹，“粘竿处”却被保留了下来。雍正帝去世后，乾隆帝继续利用“粘竿处”控制京城内外和外省大臣的活动。直到乾隆死后，“粘竿处”的特务活动才逐渐废去。

“血滴子”的传说经由民间口耳相传，一直绵延不绝。直到今天，以雍正时期“血滴子”秘事为题材的小说、影片仍层出不穷，为人们的茶余饭后提供了不少谈资。

“正大光明”背后的皇位之争

清朝密匣立储制度

历朝皇宫内院的争权夺利都最为黑暗，也最为血腥，在皇位的背后，隐藏着鲜血和阴谋，无论是哪个朝代，都未能彻底解决这个问题。雍正帝鉴于康熙末年皇子争位的教训，采取了秘密立储制度，较好地制止了皇子们的恶性竞争。

乾清宫是内廷的三大宫之一，顺治帝和康熙帝以此为寝宫，在这里居住并处理日常政务。雍正帝即位后，移居养心殿，乾清宫便成了皇帝召见廷臣、批阅奏章、处理国家要务、接见外藩属国使者和岁时受贺、举行宴筵的重要场所。

乾清宫正殿宝座的上方悬挂着一块匾额，上面书写着“正大光明”四个大字。这块匾额位于乾清宫的最高处，它之所以赫赫有名，很大程度上是因为在其背后藏着一个密立皇储的密匣，里面放着一道决定下任皇帝人选的谕旨。

清初的继承方式

密匣立储是清代皇室特有的一种秘密立储制度。清以前的历朝，往往是通过公开立储的形式解决皇位继承人的问题，选择继承人的标准是立嫡立长，如果皇后有子，就先立皇后之子（即嫡子），如有多名嫡子则立嫡长子；倘若皇后无子，则立长子。

康熙帝之前的皇太极和顺治帝都不是通过立储的形式登上皇位的，皇太极经八王共制的推选制度继承汗位。他去世时没有留下遗言，其子顺治帝经过了一番明争暗斗才侥幸继位。在他们继位前后，都存在着激烈的权力斗争，几乎使统治集团四分五裂，虽然最终避免了决裂，但依然潜伏着动摇满清统治根基的隐患。

顺治帝生前立有两位皇后，但皆无所出，他宠爱的皇四子不足百日便夭折。临终前，可供他选择立为皇储的有皇二子福全和皇三子玄烨。玄烨之所以能越过哥哥福全登上皇位是因为孝庄太后的决策和德国传教士汤若望的建议，可见在这一时期，清皇室并没有过于强烈的立嫡立长情结，这也与满清立贤的传统有关。

康熙帝试图以公开立储的形式解决后患，康熙十四年（1675），他迫不及待地宣布立两岁的嫡子胤礽为皇太子，希望以此巩固国本。然而，康熙帝没有料到，在储君地位上逐渐成长起来的胤礽心胸偏狭，性格暴虐，结成太子党，对皇权产生了威胁。这导致了康熙帝两立两废太子，最终再未明言立储。

密匣立储第一君

雍正帝即位后，吸取了康熙年间皇子争权夺位的惨烈教训，建立了一种新的立储方式，即“秘密建储”制度。所谓的秘密建储制度，就是皇帝生前不公开立太子，而是秘密亲书预立皇太子名字的文书，一式两份，一份放在皇帝身边，另一份密封于匣内，安置在乾清宫“正大光明”匾的背后。皇帝驾崩后，由诸位顾命大臣共同取下密匣，和皇帝随身携带的另一份文书对照查看，核实后公布皇位继承人的名字。如此一来，皇子们不知皇帝心中的属意人选，每个人都有成为皇帝的希望，为了讨皇帝的欢心，必会努力表现，也不会特意针对某位皇子形成党派之争。

雍正十三年(1735)八月，雍正帝驾崩。庄亲王允禄等王公大臣们把两份密旨

↓乾清宫
皇帝宝座上方的“正大光明”匾额即为存放立储密诏之处。

↑**泰陵神道石文臣**

泰陵是雍正帝的陵墓，也是清西陵中规模最大的一座帝陵。

开启核实，迎宝亲王弘历继位，即后来的乾隆帝。乾隆帝成为了清代第一位以秘密立储方式登上皇位的皇帝。

乾隆元年（1736）七月，乾隆帝依照雍正定例，亲笔书写皇太子的名字于纸上，随之放入密匣中，令总理事务的大臣监督总管太监将密匣安放到“正大光明”匾之后。乾隆帝对秘密立储的方式起初不太赞同，甚至说过皇子年龄渐长后，如果确实有储君之才，他将会布告天下，明确皇太子的身份地位。然而乾隆帝的秘密立储一波三折，最终让他彻底转变了态度。

乾隆帝立储

从顺治帝到乾隆帝这4代皇帝，都不是中宫皇后所出的嫡子，这让深受儒家文化影响的乾隆帝颇为遗憾，于是他决定仿效历代王朝，立嫡子为皇储。首次被密定为皇太子的是皇后富察氏所出的皇次子永琏。永琏当时才7岁，他不仅是嫡子，又十分聪颖，深得雍正帝和乾隆帝的宠爱。乾隆三年（1738）十月，永琏因病去世，年仅9岁。乾隆帝悲痛不已，于永琏去世的当天，将密匣取出，宣布已将永琏立为皇储，下令以皇太子的礼制为其治丧。在此后的几年里，他一直没有再立太子。

乾隆九年（1744），皇后富察氏诞下了皇七子永琮，这让乾隆帝欣喜若狂，心中拟定将其立为皇太子。然而又一次灾难打破了乾隆帝的计划。乾隆十二年（1747），永琮出痘，不治早夭。乾隆帝和富察氏都深受打击。如果富察氏再为乾隆帝生下皇子，必定会成为皇储的第一人选，然而她却因悲伤过度于次年病逝。

乾隆帝与皇后夫妻恩爱，皇后的死令他伤心欲绝，脾气变得极为暴躁。在为皇后治丧期间，他抓住丧仪中办得不妥当的细枝末节，大发雷霆，先后有100多名官员被降职，甚至被处死。他还因为皇长子永璜、皇三子永璋没有表现出足够的哀痛，而对他们叱责不已，甚至毫不犹豫地将他们排除在皇位继承权之外。

与此同时，乾隆帝还向大臣们明确宣布从此不再明立太子，如有大臣上奏要求立太子，就是离间皇帝父子感情、祸害国家之徒，必将就地正法。乾隆帝说得斩钉截铁，大臣们心惊胆颤，几乎再也无人敢言及此事。此后，乾隆帝将秘密立储制定为皇室的历代家法。

乾隆三十八年（1773），过了20多年后，乾隆帝通过多方考察，终于下定决心再次秘密立储，这一次被选中的是令贵妃魏佳氏所生的皇十五子永琰。乾隆帝当初深受祖父康熙帝的宠爱，他在即位之初，便表示统治时间不会超过康熙帝的61年。乾隆六十年（1795），乾隆帝已经在位整整60年了，他开始考虑退位的问题。同年九月初三，乾隆帝启开密匣，宣布禅位给永琰，即嘉庆帝。嘉庆帝当上皇帝后，也效法其祖父和父亲，采取秘密立储的方式，之后的道光、咸丰两代皇帝，都是根据秘密立储的制度继位。

道光帝立储

在清代后期，因为采取了秘密立储制，皇子间的争斗不再是腥风血雨，也防止了朝廷大臣围绕诸皇子形成派系，为争夺皇位展开构陷倾轧，而是逐渐转向较为温和的谋略相争。道光帝之子奕詝和奕䜣的皇位之争便是很好的例子。

奕詝和奕䜣都是道光帝的属意人选，论位序，奕詝是皇四子，奕䜣是皇六子；论出身，奕詝是孝全成皇后所出，奕䜣是静贵妃所出；奕詝具有很大的优势，但论才华能力，奕䜣却是优胜于奕詝。道光帝在两位皇子中犹豫不决，最终还是于道光二十六年（1846）立了年纪稍长、温和纯良的嫡子奕詝为皇太子。

现今中国第一历史档案馆完好保存了道光帝临死前发布的立储朱谕、道光二十六年（1846）写成的预立太子御书、密匣等物。其中尤为珍贵的是道光帝遗留下的朱谕和御书，这为研究清代秘密立储制度提供了宝贵的实物资料。

朱谕上书写"皇四子奕詝著立为皇太子，尔王大臣等何待朕言，其同心赞辅总以国计民生为重，无恤其他"，字迹潦草无力，是道光三十年（1852）正月，道光帝临死前执笔书写的。

立储御书用颜色深浅稍有不同的黄纸分两层包封，最外面的黄纸背后用朱笔写着满文"万年"，有道光帝的签名，拆去这层包装后，第二层包封的黄纸背后用朱笔写着"道光二十六年六月六日"字样，也有道光帝的签名，最里面即是御纸，上面满汉文合书："皇四子奕詝著立为皇太子"，又汉文书"皇六子奕䜣封为亲王"，没有满文。在立储御书上写下两位皇子的名字，可见道光帝在立储大事上踌躇不定，虽立奕詝为皇储，但又不愿爱子奕䜣受了亏待，于是将其封为亲王。

道光帝立储是清代最后一次密匣立储，咸丰帝也成为了最后一位以密匣立储的形式登上帝位的皇帝。清末皇帝子嗣艰难，咸丰帝只有一个儿子，同治帝和光绪帝无子，自然无需密匣立储。1912年，宣统帝溥仪退位，清朝终告灭亡，秘密立储制度失去了意义，遂不复存在。

难道是“全头下葬”

《《《《 雍正帝之死

雍正帝的即位是个谜，他的死亡也是个谜。在去世前几天，他还能够正常起居，几天后却魂归西天。他的死是如此突然，以致民间产生了多种说法，有人说他是被刺杀而死，也有人说他是被太监宫女合谋勒死。孰是孰非，还有待进一步的研究考证。

雍正帝猝死

雍正十三年（1735）八月二十三日凌晨，雍正帝暴死于圆明园离宫，敬谥为“敬天昌运建中表正文武英明宽仁信毅睿圣大孝至诚宪皇帝”，庙号世宗。关于他的死，《雍正朝起居注册》记载得非常简要，在他死前几天，雍正帝的办公行事还十分正常，十八日与办理少数民族事务的大臣议事，二十日召见宁古塔的几位地方官员。

“八月二十一日，上不豫，仍办事如常。二十二日，上不豫。子宝亲王、和亲王朝夕伺侧。戌时（晚上7点至9点），上疾大渐，召诸王、内大臣及大学士至寝宫，授受遗诏。二十三日子时（晚上11点至翌日凌晨1点），龙驭上宾。大学士宣读朱笔谕旨，着宝亲王继位。”

雍正帝的死非常仓促，《起居注册》的记载似乎也有故弄玄虚之嫌，雍正帝多半死于二十二日晚，诸王大臣被紧急召入宫时，雍正帝有可能已经暴亡。被召入宫的大臣之一张廷玉在自己修订的《年谱》中记录了当夜的情况。张廷玉是雍正帝的心腹，每日都进宫晋见，从八月二十日起，雍正帝已经出现了身体不适的情况，但还能照常办公。二十二日晚，张廷玉刚刚就寝，就被紧急宣召至圆明园，“始知上疾大渐，惊骇欲绝”。张廷玉每天都进宫面圣，二十二日当天也不例外，晚上突被召入宫，才知道雍正帝已处于弥留之际，雍正帝的病情非常突然，可能白天还没有征兆，所以张廷玉才会惊骇不已。

《年谱》记载的密旨不知所踪一事，也透露出了当晚的详情。雍正帝有鉴于康熙末年皇子争位之事，订立了秘密立储制度，一道密旨藏于乾清宫“正大光明”匾额背后，另一道朱笔密旨则随身携带，以备勘对之用。张廷玉记载道，当雍正帝驾崩后，诸王大臣们让总管太监请出密旨，而总管太监却说雍正帝未曾提及，他们不知密旨所在何处。还是张廷玉描述密旨的外观“外用黄纸固封，背后写一‘封’字者即是此旨”，总管太监才找寻取出。

↓雍和宫

康熙三十三年（1694），康熙帝第四子胤禛（后来的雍正皇帝）在北京城内东北隅原明代太监官房旧址筑建雍亲王府。雍正三年（1725）改建为雍和宫，成立特务衙署“粘杆处”。雍正帝逝世（1735）后，因其灵柩停放在宫内，遂将各主要建筑的屋顶由绿琉璃瓦改为黄琉璃瓦。又将供奉雍正帝画像的永佑殿改名为神御殿。此后，雍和宫成为清代皇帝供奉祖先的场所，众喇嘛常年在此颂经，超度亡灵。乾隆九年（1744），正式改建为喇嘛教寺院，并成为清政府管理喇嘛教事务的中心。

如果张廷玉等人入宫时，雍正帝尚能开口嘱托，定会指示密旨下落之处，不可能导致临时仓皇，可想而知诸臣晋见时，雍正帝已经撒手归天，至少已陷入昏迷，无法开口。

种种说法

雍正帝暴卒，官书记载甚简，不记载其死因，再加上他的为人处事多有争论，所以自然而然引起人们的猜疑，于是便产生了种种说法。

一种说法认为雍正帝是被吕留良的孙女吕四娘刺死的。吕留良案是雍正年间最有影响的文字狱，吕留良及其子吕葆中被开棺戮尸，另一子吕毅中被斩首，其家族男女皆被流放宁古塔。有人说清兵前来缉拿时，吕四娘侥幸逃脱，拜拳师虬髯公为师，习得高强武艺，潜入宫中杀死了雍正帝，还将他的头割了下来。安葬雍正帝时，为了不让尸首不全，乾隆帝便让工匠铸造了颗金头代替雍正帝的脑袋。也有人说，吕四娘被充入宫中为宫女，雍正帝看上了她，她趁侍寝的机会行刺仇人。

吕四娘行刺一说被渲染得有声有色，似乎煞有其事，然而这一说法是不可信的。吕四娘不可能在缉捕中逃脱，也不可能充入宫当宫女，更不可能行刺雍正帝。吕氏一门有人走脱的谣言早在当时已经传得沸沸扬扬，甚至传进宫内。雍正八年（1730），雍正帝特地询问负责该案的浙江总督李卫。李卫回禀皇帝绝无此事，说吕氏一门无论男女老少皆已拘捕，连吕留良父子的坟墓也派人监视，不可能有人漏网。李卫是雍正帝的心腹，断不敢敷衍皇帝。

吕四娘也不可能入宫当宫女，按清例，宫女是从内务府包衣佐领以下人员的女儿中选取的，与选秀女一样，名字身世都要登记在册。当时罪犯眷属，尤其是15岁以下的女子，确实有可能被收入宫中为奴，但是吕留良的子孙后代却是被流放至宁古塔，且遭到严格监管，不可能为祖上报仇。而且圆明园虽是离宫，但因雍正帝多在此居住，因此戒备森严不下于大内。很难想象一个女子能够飞檐走壁，潜入寝宫不露声色杀死皇帝。

另有一种说法，说不堪折磨屈辱的宫女和太监在雍正帝熟睡的时候，将他勒死。这也是子虚乌有的，历史上的确有一位世宗被宫女太监缢而未死，然而这位世宗是明世宗，因为两个皇帝都庙号“世宗”，民间不明事者便很容易张冠李戴，将明世宗的事情移到清世宗身上。

此外还有一种更为离奇的说法，宣称《红楼梦》的作者曹雪芹有个恋人叫竺香玉，是林黛玉的原型。竺香玉后来被雍正帝抢入宫中，立为皇后。曹雪芹为了见到恋人便混入宫中。竺香玉虽然贵为皇后，但对雍正帝没有丝毫爱意。后来两人合谋将雍正帝毒死。

这些说法不过是野史逸文，不足为信。那么有没有可能雍正帝是正常死亡？有学者认为雍正帝上了年纪后身体发胖，又缺乏运动，因高血压导致突然中风而死，但目前尚无文献资料证明这一说法。

丹药中毒说

从种种迹象来看，雍正帝的死确实有蹊跷。八月二十五日，刚刚即位的乾隆帝于宫中下了一道谕旨，告诫宫女、太监们不得乱传外间闲话，以免“皇太后闻之心烦”，如有妄谈者，必重重处

↓圆明园大水法遗址

罚。雍正帝才驾崩，是什么“外间闲话”会让皇太后心烦意乱呢？这不由让人将之与雍正帝之死联系起来。

近年来，通过对清宫档案的梳理考据，史学界逐渐认同雍正帝丹药中毒而死的说法。就在乾隆帝下旨禁止宫人议论传闻的同日，他还下了另一道旨，驱除雍正帝生前在宫内蓄养的炼丹道士，说雍正帝“万岁馀暇，闻外间有炉火修炼之说。圣心深知其非，聊欲试观其术，以为游戏休闲之具”，虽然将炼丹道士置于宫中，但不过视之为“俳优人等耳，未曾听其一言，未曾用其一药”。他还警告这些道士说“捏称在大行皇帝御前一言一字，……一经访闻，定严行拿究，立即正法，绝不宽贷”。

乾隆帝的声明有此地无银三百两之嫌，如果雍正帝没有服过丹药，何必强调“未曾用其一药”？如果仅将这些道士视为俳优，又何必如此急匆匆地驱逐他们？乾隆帝连这一点容人雅量都没有？道士在雍正帝面前说了什么，雍正帝又应了什么以致乾隆帝要让他们禁口？除了避免这些道士倚仗雍正帝的威名作威作福，难道不是害怕从道士们的口中流露出一些会令雍正帝声名受损的言论？

从史书记载来看，雍正帝非但没有像乾隆帝所说的那般将僧道异能之士视为俳优，反而对占卜、炼丹颇感兴趣。他曾写过不少歌颂神仙、丹药的诗，仅举一首名为《烧丹》的诗如下：

铅砂和药物，松柏绕云坛。
炉运阴阳火，攻兼内外丹。
光芒冲斗耀，灵异卫龙蟠，
自觉仙胎熟，天符降紫鸾。

这首诗说的就是炼丹时的情景，可见雍正帝对道家的炼丹之术所知匪浅，而且对不老升仙甚为向往。他的门人戴铎出外办事时，曾偶遇一个颇有神通的道人。雍正帝不无羡慕地说戴铎“好造化”。

登基后，虽要务繁忙，但雍正帝对丹药仍有浓厚的兴趣。他极力推崇金丹派南宗祖师张伯瑞，将其封为“大慈圆通禅仙紫阳仙人”，其重要原因就是他发明了“金丹之要”。

康熙帝对丹药也很有兴趣，但他为人谨慎，炼丹成功之后先让道士们试服，自己很少服用，而雍正帝则是对丹药来者不拒。他本人长期服用一种叫做“既济丹”的丹药，不仅自己服用，还赏赐给鄂尔泰、田文镜等心腹重臣。他曾劝说田文镜服用既济丹，声称此丹非同一般丹药，有特殊效果，让田文镜“放胆服之，莫稍怀疑，乃有益无损良药也。朕知之最确”。他对此“知之最确”，说明他服此丹已久，对丹药的药性有了深入的了解。

从雍正七年（1729）冬天开始，雍正帝便觉得身体不适，次年三月病情加重，忽寒忽热，胃口不调，夜间难以入睡，此症状持续了两个月，五月初有所好转，但随即加重，甚至一度病危，召诸王大臣入宫面授遗诏。幸而转险为安，逐渐好转。

这场大病前后，雍正帝给河东总督田文镜、浙江总督李卫、云南总督鄂尔泰、

↑泰陵圣德神功牌楼

山西巡抚觉罗石麟、川陕总督查郎阿、福建巡抚赵国麟等人下了密旨，命令他们寻访名医和精于修炼的术士。这些密旨都是雍正帝亲自用朱笔书写的，可见他对此十分重视。

雍正八年（1730）二月，四川巡抚宪德向雍正帝上了一道奏折，说听闻成都府有一个被称为“龚仙人”的龚伦，有养生之道，精通岐黄之术，86岁时他的小妾还生了一子，90岁了仍然强健如壮年。雍正帝闻言大喜，召龚仙人入宫。谁知宪德勘查后，才知道这位龚仙人已于雍正六年（1728）去世了。

雍正帝大为惋惜，然而依旧不甘心，便让宪德询问龚伦之子，看他们其中是否有人领会其父的养生之道。龚伦之子可能未曾领会其父秘传，也可能是怕出差错，惹来杀身之祸，纷纷称否。宪德深惧皇帝责怪自己办事不力，又急匆匆地推荐了一个道士王神仙。哪知这位王神仙是欺世盗名之徒，被雍正帝斥责了一番。

浙江总督李卫的行动也很迅速，接到雍正帝命令寻访道士密旨的次日，他便上奏折将一位有神仙之称的道士贾文儒推荐进京。贾文儒即贾士芳，原是北京白云观的道士。雍正七年（1729），雍正帝召见过他，却不甚满意，略加赏赐便打发走了。贾士芳后来离开京城，浪迹河南，很有一些名气。

得奏后，雍正帝立即命令负责总管河南、山东政务的河东总督田文镜派人将其护送上京。贾士芳于雍正八年（1730）七月抵达京城，入宫为皇帝治病，颇见疗效。雍正帝很高兴，赞扬推荐贾士芳入京的李卫：“朕安，已全愈矣。朕躬之安，皆得卿所荐贾文儒之力所致。”

贾士芳深受雍正帝恩宠，身价顿时百倍。然而君恩难测，仅仅一个多月时间，他便被下狱处斩。贾士芳究竟哪里得罪了雍正帝？《实录》记载道，贾士芳见识短浅，“言语支离，启人疑惑”，雍正帝令他治病，他“口诵经咒，并用以手按摩之术，……语言妄诞，竟有‘天地听我主持，鬼神听我驱使’等语。朕降旨切责，伊初闻之，亦觉惶惧，继而故智复萌，狂肆百出，公然以妖妄之技，欲施于朕前。……今则敢肆其无君无父之心，国法具在，难以姑容”。

其中有若干怪异之处，既然贾士芳言语颠倒，令人疑惑，那么雍正帝为何还让他为自己治病？贾士芳治病时念的经咒"天地听我主持，鬼神听我驱使"不过是道士施术时常用之言，雍正帝为何对此大怒？既然雍正帝已经降旨责备贾士芳，贾士芳为何还敢故伎重施，甚至更加狂肆？以上种种，都难以解答。

宫中留存的档案解开了此事的部分缘由。在一份没有公开刊出的上谕中，雍正帝说明了贾士芳获罪的原因，贾士芳治疗有术，然而"一月以来，朕躬虽已大愈，然起居寝食之间，伊（指贾士芳）欲令安则安，伊欲令不安则果觉不适"。自身安康全由一个道士操控，这令猜疑的雍正帝如何不恼怒？贾士芳便白白为他的猜疑之心送掉了性命。

长生不得反送命

值得注意的是，贾士芳一案发生后，雍正帝极力为李卫开脱，要求百官不得以此弹劾李卫。这便等于给已经举荐或将要举荐道士的大臣们吃了定心丸，也为他丹药中毒而死埋下伏笔。

贾士芳虽死，宫中的道士仍是往来不绝。据清宫档案记载，此后雍正帝频频参加道教活动，还在御花园中修建房屋安置道士娄近垣、张太虚、王定乾等人。娄近垣的道术是设坛祈祷，后于雍正十二年（1734）获赏返回龙虎山。张太虚、王定乾擅长炼丹，正是他们之辈送掉了雍正帝的性命。

从雍正八年（1730）冬起，雍正帝悄悄地令张太虚等人在圆明园中开炉炼丹。雍正帝不如其父康熙帝谨慎，也性急迷信得多，对道士炼成的丹药来者不拒，还几次赏赐给臣下。

据清宫《活计档》记载，从雍正八年到十三年这5年间，雍正先后157次下旨向圆明园运送炼丹所需物品，其中有煤炭234吨，此外还有大量矿银、红铜、黑铅、硫磺等矿物质。就在雍正帝死前的半个月，有200斤黑铅运入圆明园。黑铅是一种有毒金属，过量服食可致人死地。据学者推测，这200斤黑铅有可能与雍正帝之死有着直接的因果关系。炼丹所用的铅砂、硫磺、水银等矿物都含有毒素，对人体的危害很大。雍正帝常年服用丹药，毒性在体内慢慢累积，再服下由黑铅等有毒物质制成的丹药，终于导致毒发身亡。

雍正帝因服丹药而死，对皇室而言是一件丑闻。乾隆帝登位后，对炼丹道士恨之入骨，但为了维护皇父的名誉，仅将他们逐出宫了事，并在史册中对此加以掩饰，以致雍正帝之死成为了一桩谜案。

↑泰陵神道石狮

六下江南为哪般

乾隆帝 身世谜案

乾隆帝在位60年，于康熙、雍正两朝文治武功的基础上，将大清推向鼎盛，铸就了“康乾盛世”。然而就是这位真龙天子，他的身世却引来了后人的种种猜测，关于其生母和出生地的文献记载互相矛盾，至今，他的身世之谜仍然困扰着史学界。

乾隆帝名弘历，生于康熙五十年（1711），是雍正帝的第四子，他天资敏慧，深受祖父康熙帝和父亲雍正帝的喜爱，雍正帝一登基便将他密立为皇储。他25岁继位，在位60年而实际执政63年，嘉庆四年（1799）去世，享年89岁。

乾隆帝的生母是谁

清代官书和清宫档案均记载乾隆帝的生母是钮祜禄氏，四品典仪凌柱之女。成书于乾隆六年（1741）的《世宗宪皇帝实录》也记载了雍正元年（1723），乾隆帝之母钮祜禄氏被封为熹妃之事。

如此看来，乾隆帝之母必是钮祜禄氏无疑，然而清宫档案《雍正朝汉文谕旨汇编》收编的谕令却是如此记载：“雍正元年二月十四日奉上谕，尊太后圣母谕旨：侧福晋年氏封为贵妃，侧福晋李氏封为齐妃，格格钱氏封为熹妃，格格宋氏封为裕嫔，格格耿氏封为懋嫔。”

对照比较，可以看出这一条记载与《实录》中的记载有所差异。《实录》中记载被封为熹妃的是格格钮祜禄氏，《汇编》中则记载为格格钱氏。清代后宫制度严格，皇妃的封号只能有一个，因此格格钮祜禄氏和格格钱氏应该是同一个人。可是，两个姓氏无论是从字形上看还是从字音上看，都无相似之处，况且雍正帝的后妃中没有姓钱的，这样的错误令人难以想象。

雍正档案与雍正实录关于乾隆帝生母的记载相互矛盾，这正是乾隆身世之谜的来源之一。

乾隆帝出生在何处

另一来源是乾隆帝的出生地不详。乾隆帝自己认为他是在雍和宫出生的。雍和宫是雍正帝胤禛当皇子时的潜邸——雍亲王府，雍正帝当上皇帝后，将雍亲王府赐名为雍和宫。乾隆帝登基后，改雍和宫为喇嘛庙，并把雍正帝的画像供奉其中，他每年正月初七还会到雍和宫祭拜。乾隆帝多次以诗表明自己生在雍和宫，乾隆四十三年（1778），乾隆帝作《新正诣雍和宫礼佛即景志感》，其中有一句“到斯每忆我生初”，意思也就是说，他每次到雍和宫时，总是念念不忘当初他就是生在这里的。

乾隆四十七年（1782），乾隆帝作《人日雍和宫瞻礼》，他在诗的末句注道：“余实于康熙辛卯生于是宫。”辛卯年即康熙五十年（1711）。乾隆五十四年（1789），他作《新正雍和宫瞻礼》，在注中云：“予以康熙辛卯生于是宫，至十二岁始蒙皇祖养育宫中。”再次明确重申他出生于雍和宫。乾隆帝之所以再三强调他出生于雍和宫，一来是作诗应景，二来是澄清外界的谣言。在他在位期间，便有人对其出生地有不同看法。当时朝中有位任军机章京的官员名为管世铭，他曾随乾隆帝前往避暑山庄木兰秋狝，赋诗30余首，其中一首涉及到乾隆帝的出生地：“年年讳日行香去，狮子园边感圣衷。”诗后小注称：“狮子园为皇上降生之地，

↓千尺雪瀑布

位于江苏苏州寒山范氏山园中，乾隆帝六次江南巡游必览此地。

常于宪庙（即雍正帝）忌辰临驻。”

狮子园是避暑山庄中的一处园林，因其背后有一座形状像狮子的山峰而得名。康熙帝到热河时，雍正帝经常随驾前往，狮子园便是他一家当时在热河的住处。管世铭将避暑山庄中的狮子园认定为乾隆帝的出生之地，当然不会是出于自己的臆造，肯定是当时京师中流传着这一说法，他才会自然而然地写入诗中。

不仅管世铭如此认为，连嘉庆帝也是这么看的。嘉庆元年（1796）八月，退位为太上皇的乾隆帝在避暑山庄过86岁诞辰，即万万寿节（皇帝生日称为万寿节，太上皇生日称为万万寿节）。嘉庆帝特地做了《万万寿节率王公大臣行庆贺礼恭纪》一诗庆贺，诗下注云：“康熙辛卯肇建山庄，皇父以是年诞生都福之庭。山符仁寿，京垓亿秭，绵算循环，以估冒奕祀。此中因缘不可思议。”意思是说，辛卯年（康熙五十年）曾祖父康熙帝建造了避暑山庄，皇父乾隆帝恰好也在此年诞生于山庄中，其中的因缘恰合天意。乾隆帝对嘉庆帝的这一看法似乎并无异议。次年，乾隆帝再次在避暑山庄过万万寿节

时，嘉庆帝又做了诗祝贺，诗下也有注释，而且更加明确了，“敬惟皇父辛卯岁，诞生于山庄都福之庭。”

然而十几年后，嘉庆帝却放弃了乾隆帝出生在避暑山庄的说法。嘉庆十二年（1807），朝臣编修的《高宗实录》和《高宗圣训》初稿完成。嘉庆帝在审阅时，发现《实录》和《圣训》都将乾隆帝的出生地记为雍和宫，他始感事态严重，当即命令编修大臣认真核查。官员把乾隆当年曾说自己生于雍和宫的诗句找出进呈嘉庆审阅。皇父之意不能违，嘉庆帝只好放弃了狮子园的说法。然而他没有下谕修正之前他所作诗中乾隆帝降生于避暑山庄的文字，以致许多人仍然相信乾隆帝生于避暑山庄，最终导致了一场宫廷风波，当然这已是后话。

↓扬州盐商迎接乾隆帝处

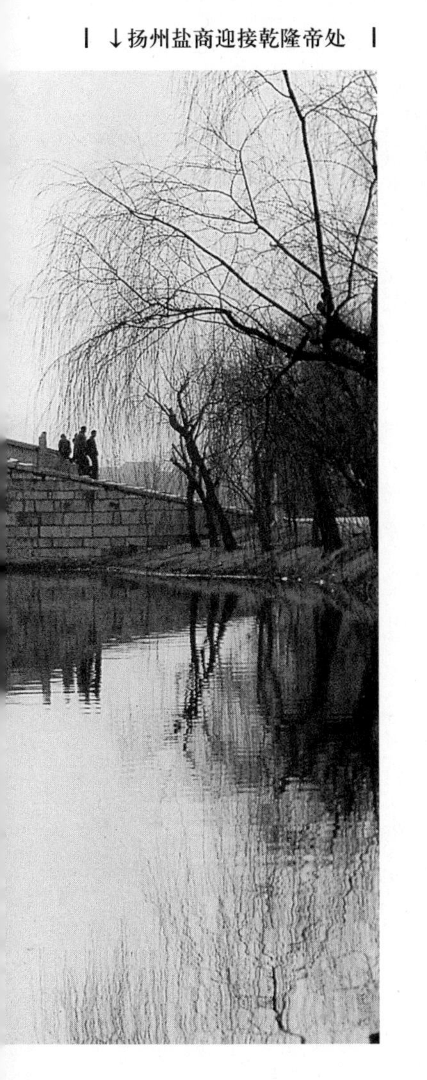

种种假说

乾隆帝生母记载存在矛盾，出生地也不明确，因此引来了民间种种猜测，导致乾隆帝的身世成为了疑案。

第一，避暑山庄李氏宫女说。据说雍正帝胤禛当皇子时，随康熙帝到热河围猎，射中了一只鹿，便生饮鹿血。鹿血奇热，能壮阳，胤禛随行没有带后妃，身边只有一个奇丑无比的李氏宫女，他兴致上来，也顾不上李氏貌丑，便宠幸了她。次日胤禛返京，几乎忘了这件事。谁知李氏一夜露水姻缘后，竟珠胎暗结。康熙帝偶见此女，震怒异常，诘问之下，才知道是四阿哥胤禛蓝田种玉。李氏此时已大腹便便，即将临盆。康熙帝怕玷污了宫殿，令李氏在狮子园中的一座草房生育，生下了乾隆帝。李氏出身微贱，康熙帝便让钮祜禄氏收养，于是乾隆之母便成为钮祜禄氏。

这一说法是清末冒鹤亭说的，冒鹤亭曾是热河督统的幕僚，从热河老宫监口中得知此秘闻。持此说法的人认为，清代官修的《热河志》之所以将简陋的草房列入狮子园的名胜建筑中，还每年拨专款修理，正是因为重视乾隆帝出生地之故。此外，乾隆帝每年来到避暑山庄，都会在草房小憩，频繁咏叹作诗，留下的“草房”诗有数十首之多。所以有人推测，乾隆帝对草房如此青睐有加，就是因为他出生于此。

然而这一看法仅是推测而已，如果乾隆帝是李氏宫女所生，作为一个很要面子的皇帝，乾隆帝只会极力掩饰，不可能反而彰显。其实从乾隆帝自身所作的草房诗中可以看出，他之所以频频作诗赞美草房，主要是出于两个原因，一是缀景，在富丽堂皇的建筑中，草房显得格外简朴清新；二是示俭，用来表示皇帝虽高高在上，但仍然心怀天下众生疾苦。

第二，南方傻大姐说。这是民国时期曾任国务总理的熊希龄从老宫役口中听说的，他告诉了胡适，说乾隆帝的生母是南方人，浑名“傻大姐”，随家人到热河谋生。一年清宫选宫女，她好奇前往观看，结果被误以为是旗人女子，入了选，被分到雍亲王府当使女。后来，雍正帝生病，傻大姐在一旁细心伺候。雍正帝病好后，感激她的照料，便纳她为妾，生下了乾隆帝。胡适将此说记录在他的日记中，随着《胡适之日记》的出版发行，此说广为流传。这一说法颇具传奇色彩，经不起推敲，清宫无论还是选秀还是选宫女，都是严格按花名册行事，况且门卫森严，怎么可能让一个女子轻易混了进去?

以上两种说法至少还认为乾隆帝是满人和汉人的混血，而第三种最广为流传的说法则认为他是完全的汉人，即海宁陈家说。

乾隆帝是汉种吗

海宁是杭州府隶属下的一个滨海小县，陈家是当地的官宦之家，自明正德年间起便屡出举人、进士。到了清朝，仕宦愈隆，陈之閰和陈之问两兄弟的后代颇有出息，陈之閰的儿子陈元龙是康熙年间的进士，历任巡抚、尚书，雍正十七年（1729）授文渊阁大学士，元龙的侄子陈邦彦官至侍郎。陈之问的儿子陈诜历任礼部尚书、刑部尚书，陈诜之子陈世倌历任巡抚、工部尚书，至乾隆六年（1741）授文渊阁大学士，这位陈世倌便是传说中乾隆帝的生身父亲。

有人说，康熙年间，身为皇子的雍正帝和大臣陈世倌往来密切，恰巧两家同时生子。雍正帝的侧妃钮祜禄氏生下了个女儿，陈世倌的夫人生了儿子，正当陈家兴高采烈之时，雍亲王让人把陈世倌的儿子抱进府中。许久才送回。陈世倌打开襁褓一看，却发现儿子变成了女儿，他大骇，不敢声张也不敢辩解，哑巴吃黄连有苦说不出。乾隆帝即位后，得知了自己的身世，便借南巡之名，去海宁探视亲生父母。但此时陈世倌夫妇已去世，他便到父母墓前，用黄幔遮住行了人子大礼。据说乾隆帝知道自己不是满人后，常在宫中穿汉服，还问身边的大臣自己是否像汉人。海宁陈家至今还有皇帝御书“爱日堂”和“春晖堂”的匾额，“春晖”出自唐代诗人孟郊的诗：“慈母手中线，游子身上衣。临行密密缝，意恐迟迟归。谁言寸草心，报得三春晖。”爱日也有孝慈之意，于是有人认为，如果乾隆帝不是陈家的儿子，怎么可能会题这样的匾额？

乾隆帝为海宁陈家说似乎无懈可击，然而细细说来，其中却有不少漏洞。其一，胤禛没有偷抱他人之子的理由。有人说，胤禛作皇子时，膝下无子，出于争储的目的便不择手段将陈世倌之子冒充自己的儿子。然而事实是，当康熙五十年（1711）弘历出生时，胤禛34岁，正当壮年，其长子、次子虽然已经早殇，但第三子弘时已8岁，在钮祜禄氏生下弘历3个多月后，另一个格格耿氏又为雍正帝生下了第五子弘昼，此后，雍正帝又陆续拥有5个儿子。可见雍正帝并无生育上的问题，而且他如何知道他一定会登上皇位？又如何知道陈氏之子是有福之人？无论于情于理，都讲不通。

也有人说，换子之举是钮祜禄氏为了保住自己的地位偷偷为之，雍正帝并不知情。这个传说的来源很有可能与另一位钮祜禄氏有关。开国功臣额亦都是钮祜禄家族的先祖，他的第八子图尔格之女钮祜禄氏嫁给了褚英长子郡王尼堪，钮祜禄氏不能生育，便演了一出“狸猫换太子”的把戏，将女仆之子冒作自己的儿子。这一把戏被揭穿后，图尔格被牵连夺官，也造成其他相关人士受到相应的处罚。这一件事在京城引起了轰动，传来传去，传到后来，便有可能张冠李戴到雍正帝的侧妃钮

↓避暑山庄水流云在方亭

祜禄氏头上了。

其二，乾隆帝六度南巡，4次至海宁，并住在了陈家，但无寻亲之事。乾隆帝六下江南，一来是为了效法其祖父康熙帝六次南巡之举，同时也有炫耀国力、游山玩水之意。然而从第三次南巡开始，他连续4次抵达海宁，主要是为了视察钱塘江海塘工程。

乾隆帝之所以驻跸陈家私园，主要是陈家与朝廷关系较为亲密，而且此园风景雅致，园中有百年古梅，还可听闻潮声。乾隆帝居住于此，感到十分惬意，做了数十首题咏此园的诗句，并赐名为“安澜园”，有愿海水安澜平静、永不扰民之意。需要辨明的是，尽管他在此驻跸，但从未召见过陈家子孙，更不用说是认祖归宗了。

其三，陈家确实拥有“爱日堂”和“春晖堂”两块匾额，然而这两块匾额不是乾隆帝题的，而是康熙帝的御书。康熙二十九年（1690），陈元龙为侍读学士，随侍皇帝身边。有一天，康熙帝练字时，饶有兴致地要给随侍的翰林们题写堂名。陈元龙奏称其父已年逾八十，请求康熙帝赐字“爱日堂”，以表示他不忘慈父之恩。康熙帝向来提倡孝道，自然是提笔书之。

而“春晖堂”的匾额则是康熙帝御赐给陈云龙的侄子陈邦彦的。陈邦彦的父亲很早过世，其母黄氏守节40余年，辛辛苦苦将陈邦彦抚育成人。康熙五十二年（1713），康熙帝特地赐书“春晖堂”，以表彰黄氏对陈邦彦的养育之恩。

因此，这两块匾额与乾隆帝全然无

↓清·徐扬·乾隆帝南巡图（局部）

关，而且综观乾隆一朝，乾隆帝并没有对陈氏一门表示出特别的恩典。陈邦彦在康熙二十四年（1708）便是翰林，直到乾隆年间才升至侍中，不久被革职。陈世倌于乾隆六年(1741)授文渊阁大学士，然而没有多久便因起草谕旨出错被革职，并被乾隆帝当面斥责为“无参赞之能，多卑琐之节，纶扉重地，实不称职”。如此严厉的斥责，别说是传说中皇帝的生父，就是一般的前朝老臣也很少受到。

其四，历史上的乾隆帝的确经常穿汉服，现在故宫还保存着不少他穿汉服的画像。然而他本人对满人渐染汉俗却抱有很强的警惕之心，屡次下旨提倡国语（即满语）骑射，禁止满人习汉俗。乾隆二十年（1755），汉臣胡中藻所著《坚磨生诗钞》中有“悖逆之语”构成文字案。大学士鄂尔泰之子、历任巡抚的鄂昌曾经和胡中藻往复唱和，乾隆帝深厌之，赐其自尽。可见他对汉文化侵染满人痛恨至极。

母子情深

总而言之，乾隆帝为海宁陈家之子一说纯属子虚乌有。从历史记载来看，乾隆帝的生母就是钮祜禄氏。那么如何解释谕旨档案与《实录》中关于乾隆帝生母姓氏记载的差异呢?

近来有学者认为，谕旨档案是第一手资料，而《世宗宪皇帝实录》是乾隆帝继位之后修编的，有可能对原始资料作篡改。按《玉牒》十年一修的制度，也不排除篡改的可能。乾隆帝的生母应该原姓钱，弘历被秘密立为储君后，未来皇帝的生母需要一个高贵的姓氏，因而钱氏认内大臣四品典仪凌柱为父。当然这只是一个猜测，尚未得到历史文献的证实。

无论钮祜禄氏姓钮祜禄也好，姓钱也好，她都是个有福之人。康熙四十三年（1704），钮祜禄氏被选中为秀女。康熙帝将她赐给雍亲王胤禛。几年后，她生下了弘历，从此母以子贵。康熙四十一年（1722），康熙帝到避暑山庄围猎，雍亲王一家随行。康熙帝特地召见了钮祜禄氏，连称她为有福之人。雍正元年（1723），雍正帝登极后，将她封为熹妃。而仅比她晚3个月生下皇五子弘昼的格格耿氏只被封为嫔，这不得不说是因弘历之故。雍正八年（1730），钮祜禄氏晋封为熹贵妃。自雍正九年（1731）孝敬皇后去世后，雍正帝再也没有立后，钮祜禄氏总摄六宫之事，地位实同于皇后。

雍正十三年（1735），雍正帝去世，乾隆帝即位，当天钮祜禄氏便被尊为皇太后，此后她更是享尽清福。乾隆是个孝子，时常前往太后寝宫问安，陪侍太后三游五台山、四下江南。每年钮祜禄氏生日，乾隆帝都会隆重庆祝，逢60、70、80整寿更是如此。他所作的诗文中有不少是赞颂皇太后养育之恩、母子情深的。乾隆帝还令宫中造办处用3 000多两黄金铸成一座金塔，专门用来存放钮祜禄氏梳头时掉下来的头发，所以叫“金发塔”。乾隆帝对太后如此孝顺，或许也可从侧面证实他确实是钮祜禄氏所出。

金顶红墙话养生

康乾二帝 长寿之谜

在历代皇帝中，康熙帝和乾隆帝算是长寿皇帝，直到晚年，仍然老当益壮。尤其是乾隆帝，他统治时间之长、寿命之长，无人能及。康乾二帝究竟有何养生的诀窍？红墙内又有什么灵丹妙药能让人延年益寿？

历史上所谓盛世的出现，经常与某个长寿的皇帝相联系，唐玄宗李隆基在位44年，缔造了开元盛世。清代康乾盛世的出现，固然是康熙、乾隆两帝励精图治的结果，但也与他们的健康长寿关系密切。

祖孙两代长寿皇帝

康熙帝和乾隆帝都是有名的长寿皇帝，清军入关至宣统退位，清在中原的统治共268年，而康熙、乾隆两朝维持了121年，几乎占了一半，如果他们没有旺盛的精力和绵长的寿命，恐怕也不会开创封建时代最后一个盛世了。

康熙帝8岁登基，在位61年，享年69岁，他在位期间勤于政务，平定三藩之乱、收复台湾、征讨准噶尔叛乱、抵抗沙俄的侵略、签署《尼布楚条约》……他为国家大事操心劳力，身体却一直很健康。如果不是晚年皇子的皇位斗争使他心神交瘁，说不定他还能活得更长。

康熙帝的孙子乾隆帝比他更长寿，福气也更大。乾隆帝25岁即位，在位60年，当了3年多的太上皇，终年89岁。他历经康熙、雍正、乾隆、嘉庆4朝，享受7代同堂的天伦之乐，是历代皇帝中寿命最长的。乾隆帝不仅长寿，身体还十分健康，他视力极好，终身不用眼镜，65岁时还能使妃子受孕，生下皇十女和孝公主。晚年虽有痔血、尿频及健忘症，但总体上还是相当健康，87岁时还能外出狩猎，临终前不久尚能读书写字。

乾隆五十八年（1793），英国使臣马戛尔尼来华，在承德避暑山庄觐见了乾隆帝。他对乾隆帝是如此描述的：“观察皇帝的相貌，虽然已经83岁了，可是看起来像60多岁的人，精神矍铄，像年轻人一样。”

乾隆帝对自己的长寿也十分得意，认为“不特云稀，且自古所未有也”，70岁时，他特地撰写了《古稀说》，并刻“古稀天子之宝”及“五福五代堂，古稀天子宝”印章；80岁时，刻镌“八徵耄念之宝”印章，以志庆贺。

养生有道

康熙帝和乾隆帝之所以长寿，主要在于他们养生有道：一是生活有规律，饮食有所节制；二是注重锻炼，喜好骑射；三是平日适当服用养生药物。

作为皇帝，有数不尽的山珍海味可供享用，康熙帝和乾隆帝对此却十分节制。康熙帝饮食简单，每天除了进膳两次外，不食别物，他注意选择有营养的食品，不有所偏嗜，也不暴饮暴食，严戒烟酒及槟榔。他出巡在外时，爱吃当地所产的时令菜。他说：“老年人应当饮食淡薄，每兼菜蔬食之则少病。”

↓乾隆皇帝大阅图

康熙帝在位期间，烟草在中国已广泛种植，吸烟之风很盛行，不仅百姓吸，即使宫廷的大臣们也多有此嗜好。康熙帝幼年时曾在乳母家学会吸烟，但即位后，觉得对身体有害，便把烟戒掉。自此之后，他不仅要求自己不吸烟，也要求大臣们戒掉吸烟的习惯。康熙帝平生不好饮酒，虽然他酒量过人，可喝一斤，但能饮而不饮。进膳后，他认为不能即时休息，也不能马上投入到紧张的事务中，而应与人闲谈，或者赏玩珍玩器皿，用以消食。

康熙帝非常注意饮水卫生，说：“人生养身饮食为要，故所用之水最切。”他一般把水加热煮沸，取蒸馏水饮用。每当夏日大雨倾盆或洪水暴发之际，他拒饮河水，认为洪水会将脏物冲刷到河中，河水肮脏，喝了易生病。

与康熙帝一样，乾隆帝的起居饮食也很有规律，他每日早晨6时起床，洗漱后用早膳。上午处理政务，和大臣们议事，午后游览休息，晚饭后看书习字，按时就寝。他曾经说过：“凡人饮食之类，当各择其宜于身者，所好之物不可多食。”他平日爱吃的食物有豆腐、黄豆芽、蘑菇、蜂蜜、燕窝、鸭子、肉皮等，这些食物大多具有调节机体免疫、增强人体体质的作用。步入老年后，他的饮食习惯变得清淡，少食肉类，多食蔬菜，喜欢食粥。粥具有易于消化和保养脾胃的功效，利于颐养天年。自古帝王多好酒色，导致肾精亏损，早早出现衰老之状。康熙帝和乾隆帝后妃虽多，但不沉迷酒色，极少纵欲，在历代君王之中实属难得。

除了平时注意养生之外，康熙帝和乾隆帝还经常出巡。康熙帝曾六巡江南，多次登泰山祀东岳。一心效法祖父的乾隆帝也六下江南，六次巡幸五台山，四次东巡。在频频的出巡活动中，他们饱览神州景色，心旷神怡，体质也得到了锻炼。

即使在宫中，康熙帝和乾隆帝也从不安坐于室内，而是对围猎有着十分浓厚的兴趣，多次去热河围猎。康熙五十八年（1719），康熙帝曾兴致勃勃地对自己的近侍卫诸臣说："朕自幼至老，凡用鸟枪弓矢，获虎一百三十五，熊二十，豹二十五，猞猁狲十，麋鹿十四，狼九十六，野猪一百三十二，哨获之鹿，凡数百。其余射获诸兽，不胜记矣。又于一日内射兔三百一十八。"

乾隆帝弘历继承了祖父喜欢骑射的传统。在他年纪尚幼时，每当举行木兰秋狝，康熙帝总是会带着他出塞打猎。有一次弘历跟随祖父围猎，不意遇上了一头黑熊，弘历不慌不乱，执辔昂首。康熙帝怕黑熊伤了皇孙，急忙用铁矛将黑熊射死。见到临危不惧的弘历，康熙帝十分喜爱，经常对大臣们提及此事。

乾隆帝对此事印象深刻，成年后愈加喜欢出巡打猎。他箭术了得，常在夏日接见武官后在宫门外较射，射时箭发3番，每番3发，每发多中靶心，9箭可中六七。乾隆十四年(1749)十月，他在大西门前射箭，9发9中。大臣钱麓惊为异事，特作《圣射记》进呈，感叹"圣艺优娴"。

此外，康熙帝和乾隆帝还爱好丰富，康熙帝热心科学，对算学、天文、地理、光学、医学、解剖学等自然科学有浓厚的兴趣，甚至亲自解剖过一头冬眠的熊。他曾亲自观测日食，为了观察风向，他还在宫中设立小旗，用来查看风向、风速。

乾隆帝娴熟琴棋书画，喜好吟诗作对，酷爱书法，他一生遍游名山大川，到处写诗题词，一生共写诗43 630首，其数量之多，在历史上无人望其项背。他还喜欢听音乐，经常要求乐工更换新曲。康乾二帝热衷于自己的"业余"爱好，这对陶冶性情，延缓衰老起了重要的作用。

日常保健

历代君王多迷信长生不老，服丹药中毒者比比皆是，不过康熙帝和乾隆帝对此并不迷信，康熙帝曾对炼丹有过兴趣，但非常谨慎，从不轻易服用，而乾隆帝却因为皇父雍正帝服丹药中毒身亡，对丹药深恶痛绝。由此避免了许多君王因服用丹药毙命的下场。

康熙帝非但不喜欢服用丹药，连对补药也没有过多的兴趣，他尤其对人参没有好感，认为有害无益，与其药补不如食补。他曾经说过，早年满洲老人皆不服药，太皇太后，皇太后一生也不服药，先人的做法是有道理的，所以应该效仿。康熙帝不仅说，而且以身作则，他57岁时，下巴有几根白须，大臣进献滋补肝肾的乌须丸，他认为多此一举，拒之不用。

乾隆帝却不认同祖父的观点，他每天都要噙服少许上好野山参，还常饮药酒。他认为人需进补，但要适时适量，不能乱补。他常用的补益药方有：龟龄汤、椿龄益寿药酒方、健脾滋肾壮元方、秘传固本仙方等，这些药方多属于脾肾双补之药品。中医认为肾为先天之本，固肾即固本，先天之本既固，体质自然健康。他晚年经常服用一种名为八珍糕的保健食品，八珍糕由党参、茯苓、白术、薏米等研磨成粉，与白米粉同蒸而成，具有平和温补、益气养血的功效。

乾隆帝还根据自身的体验，总结出了养生四诀："吐纳肺腑，活动筋骨，十常四勿，适时进补。""十常"是：齿常叩，津常咽，耳常掸，鼻常揉，睛常转，面常搓，足常摩，腹常运，肢常伸，肛常提。"四勿"就是：食勿言，卧勿语，饮勿醉，色勿迷。"十常四勿"符合保健养身的道理，即使到了今天，也仍然具有很高的参考价值。

康熙帝和乾隆帝的养生之道十分有效，特别是乾隆帝，他一生没有患过严重疾病，直到晚年还是思路敏捷，身体强健，他的死是属于自然衰老，寿终正寝。

↓哨鹿图（局部）
此图绘于乾隆六年（1741）秋季，是乾隆皇帝即位后首次赴围场哨鹿打猎的情景。马列前列第三骑白马者即为乾隆皇帝。

“第二个政治中心”

避暑山庄 轶事

清朝有两个政治中心，一个是京城北京，另一个是承德避暑山庄。避暑山庄政治中心地位的形成是多方面因素作用的结果，其地位是北京无可替代的。从象征意义上而言，避暑山庄是北方游牧民族和农耕民族的交界点，清王朝以此怀柔北方，掌控西北边疆。

避暑山庄，位于河北承德武烈河畔，武烈河古称热河，故又名“热河行宫”，或称“承德离宫”。它是清代皇帝的离宫，修建于康熙四十二年(1703)，全部建成于乾隆五十五年(1790)。

塞外离宫

康熙帝在承德建立离宫，与天花的流行有很大关系。清初北京天花流行，在很长一段时间内，蒙古各部入觐制度受到了严重的挑战。由于蒙古首领多数没有出过痘，为了避免传染，清朝规定没有出痘的蒙古王公不许入京觐见皇上。北京气候炎热，天花容易传染，未出过痘的蒙古王公也以进塞为惧。

直到康熙初年，这个问题也没有得到很好的解决。长此以往，满清与蒙古各部的关系势必会有所疏远，甚至有可能造成分裂。为此，康熙帝多次北巡塞外，与蒙古王公会面。康熙十六年(1677)，他巡幸塞北时，途经热河，发现这里气候宜人，自然风景秀丽，水草丰美，便决定在此建立一个可供避暑避痘的行宫。当时的避暑山庄只是若干个小行宫之一，供皇帝木兰秋狝所用。

“木兰”为满语哨鹿的音译，康熙二十年（1681），康熙帝将内蒙古卓索图、昭乌达两盟的牧地划定为“木兰围场”（今河北省围场县），围场东西相距300里，南北相距200里，总面积约一万多平方千米。每年秋季，皇帝便会亲自统率八旗王公贵族及将士，在木兰围场举行大规模的围猎活动。康熙帝设立木兰围场后，每年四月从北京率领八旗兵前往围场行猎，有时甚至一年两次。他劳师动众举行秋狩，并非是以此作乐，这样做除了可以加强八旗将士的军事战斗力，还具有一个更为特殊的政治目的，那就是增强与蒙古的联系。

康熙帝规定，凡是没有出过痘的蒙古王公贵族，每年七月到热河，九月随皇帝入围场秋狩，在天高气爽的秋天入觐，可避开天花发作的高峰期。他借出塞行猎之际，接见蒙古各部王公贵族，举行盛大宴会，奖赏钱财，增强清与蒙古的联系，并裁决蒙古各部之间的矛盾和争端。

避暑山庄的扩建

雍正帝即位后，由于政务繁忙和京城政治斗争的严峻，他在位13年间从未去过避暑山庄，也停止了木兰秋狝，只在北京附近行猎。但他认为这一做法是不正确的，他曾对弘历（即后来的乾隆帝）说过，他之所以不前往避暑山庄围猎，是因为日不暇给，自己又喜静，厌恶杀生，这是他的过错，“后世子孙当遵皇考（康熙帝）所行习武木兰，勿忘家法。”

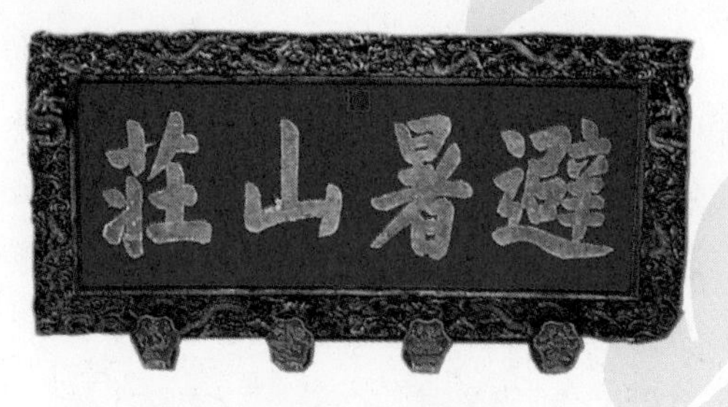

↑康熙帝手书“避暑山庄”匾额

康熙五十年（1711），康熙帝亲笔为承德避暑山庄题写了匾额。

乾隆帝继位后，记取雍正帝的告诫。他以“略为缮补，以免倾圮”为由，大规模扩建避暑山庄，增建宫殿和多处精巧的大型园林建筑，他还仿效祖父康熙帝，以三字为名又题了如意湖、冷香亭、采菱渡等36景，合称为避暑山庄72景。

除了特殊情况，乾隆帝每年都巡幸山庄，并举行木兰秋狝。有学者统计，乾隆帝一生去山庄达52次，每年约于五月间离京，携后妃、皇子及重臣前往山庄，住上两三个月，有时长达5个多月，

↓水心榭

避暑山庄内的水心榭位于下湖与银湖之间。桥上三榭具有浓郁的江南风格。榭下有八孔水闸，可以控制水位，使下湖水位高于银湖，流水日夜不息，形成动人美景。

晚至深秋才回到北京。乾隆帝是个性好游览的皇帝，经常出巡，因此有些年份他待在北京的时间还不如在避暑山庄长，例如乾隆四十五年（1780），乾隆帝正月南巡，五月前往避暑山庄，在北京仅仅待了3个月。

从乾隆帝开始，清朝历代皇帝每年五月来到避暑山庄，九、十月返回北京，几乎有半年时间居住在这里。据初步统计，康熙北巡热河51次，乾隆52次，嘉庆20次，咸丰1次。每次到避暑山庄时，皇帝指定的内阁大学士、军机大臣等各部主要官员也会随同前往。日常政务公文每三天一次由驿站递送热河，紧急报告则随时递送，若是特殊军报，可直接向皇帝呈送，即使皇帝正在围猎也能立即批复。避暑山庄虽是皇帝避暑消夏的夏宫，实际已经成为了清廷的第二个政治中心，许多历史大事件便是在此发生的。

盛世辉煌

康熙年间，避暑山庄主要接待蒙古各部贵族。乾隆帝继位后，先后平定了西北准噶尔叛乱、新疆回部大小和卓叛乱。西北诸民族的首领纷纷来山庄朝贡觐见皇帝，乾隆帝一一接见了他们，举行宴会款待，并封爵赐号，赏赐财物。

山庄中的万树园是专门接待各族首领的场所，园中设有黄帏、蒙古包和活动房，并蓄养麋鹿，可在此举行野宴，观赏马技、相扑、杂技表演等。

乾隆十八年（1753）冬，厄鲁特蒙古杜尔伯特部首领车凌、车凌乌巴什和车凌蒙克率领一万多人归附清朝，次年，乾隆帝在避暑山庄接见了来归的“三车凌”，在万树园多次大摆宴席招待三车凌以及蒙古王公，场面盛大，主客俱欢。宫廷洋画师郎世宁等人奉命将此场景描绘下来，绘制成了《万树园赐宴图》。

↓万树园赐宴图

↑避暑山庄普宁寺

乾隆十九年（1754）十一月，乾隆帝打破了秋天围猎的常规，冒着严寒再次出塞，接见了来降的厄鲁特蒙古贵族阿睦尔撒纳，以蒙古语与之交谈，询问变乱始故，从而为消灭准噶尔割据势力提供了保证。除此之外，乾隆帝还在此接见过土尔扈特台吉渥巴锡、西藏政教首领六世班禅等重要人物。乾隆五十八年（1793），马戛尔尼率领的英国访华使团也是在此觐见了乾隆帝。

盛景难寻

嘉庆帝登基后，也效法其父乾隆帝，多次巡幸避暑山庄。嘉庆二十五年（1820）七月，嘉庆帝抵达山庄没多久，便突然驾崩。

嘉庆帝死在了避暑山庄，他的孙子咸丰帝也步其后尘。咸丰十年(1860)，英法联军进犯北京，咸丰帝命恭亲王奕䜣留京议和，自己则以“巡行木兰”为名携后妃及诸臣仓皇逃往避暑山庄。他被英法联军吓破了胆，不敢返京，在此批准了《中法北京条约》、《中俄北京条约》等丧权辱国的不平等条约。

憋屈到如此地步，他灰心丧志，终日在山庄里花天酒地、听曲看戏麻痹自己，还抽上了鸦片膏。咸丰十一年(1861)十月，咸丰帝病死于山庄。他死后，其遗孀慈安、慈禧两宫太后和他的弟弟恭亲王奕䜣联合发动了辛酉政变。这场政变影响了中国的历史进程，也是最后一件发生在避暑山庄的政治大事。

随后的同治帝、光绪帝等皇帝身体羸弱，寿命都不长，而且清朝国势衰落，在下坡路上越走越远，无力举行木兰秋狝，皇帝也无心巡幸避暑山庄。山庄日渐荒废，再也难寻皇帝围猎宴会、各族首领云集山庄的盛况了。曾经被赋予政治使命的避暑山庄的历史也宣告终结。

生不逢时的苦命天子

光绪帝死因探秘

在皇权时代，君王是最高统治者，掌控着臣民的生死大权。光绪帝却是中国历史上少有的苦命天子，他在朝政上凡事不得自专，婚姻生活备受干预，身心受到极大的摧残，甚至不明不白地死去。他的死，是个人命运的悲剧，也是时代的悲剧。

光绪三十四年（1908）十月二十一日酉时（下午5时～7时），光绪帝驾崩于西苑（今中南海）瀛台涵元殿，年仅38岁。民间谣言四起，纷纷传闻光绪帝是被毒死的，至于凶手则说法不一。

谁毒死了光绪帝

溥仪在《我的前半生》一书中谈到，戊戌变法时，袁世凯辜负了光绪帝的信任，向慈禧太后告密，从而导致变法失败，光绪帝被软禁。袁世凯担心慈禧死后，光绪帝会清算他的罪状，便借进药的机会，暗中毒死了光绪帝。他回忆道：“我还听说一个叫李长安的老太监说起光绪帝之死的疑案。照他说，光绪帝在死之前一天还是好好的，只是因为用了一剂药就坏了，后来才知道这剂药是袁世凯叫人送来的。”据说光绪帝临终前一语不发，用手指在空中划了“斩袁”两字，尔后含恨而死。

光绪帝确实痛恨袁世凯，慈禧一行人西逃时，怀来县县令吴永曾亲眼目睹了光绪帝对袁世凯的深恶痛绝。光绪帝在纸上画了一只乌龟，在乌龟壳上书写“项城”（即袁世凯）二字，将纸条贴在墙上，用小竹弓射之，他犹不解恨，再取下剪碎。

袁世凯心知肚明光绪帝对自己的怨恨，却担心他会秋后算账，但是尽管袁世凯有作案动机，却没有确凿的证据。清宫皇帝用药制度十分严格，开方煎药都有严格规定，袁世凯不能随便进药，就算是进了药，也会经过多道检验。要毒死皇帝，袁世凯所要承担的风险太大了。

另一说是慈禧太后毒死了光绪帝，当时慈禧患了痢疾，病重卧床，有人向慈禧上谮言，说皇帝听到太后生病，面露喜色。慈禧大怒道：“我绝不能先你而死！”

当代国学大师启功曾听闻其曾祖父溥良讲述慈禧和光绪帝先后崩逝一事，他回忆道：“西太后（慈禧）得的是痢疾，所以从病危到弥留的时间拉得比较长……就在宣布西太后临死前，我曾祖父看见一个太监端着一个盖碗从乐寿堂出来，出于职责，就问这个太监端的是什么，太监答道：‘是老佛爷赏给万岁爷的塌喇。’‘塌喇’在满语中是酸奶的意思。当时光绪帝被软禁在中南海的瀛台，之前也从没有听说过他有什么急症大病，隆裕皇后也始终在慈禧这边忙活。但送后不久，就由隆裕皇后的太监小德张（张兰德）向太医院正堂宣布光绪帝驾崩了。接着这边屋里才哭了起来，表明太后已死。”

按理说，溥良是亲身经历者，其回忆具有很高的可信性，但问题是这段自述本身便存在着破绽。首先是慈禧死亡的地点不对，自述中提及慈禧是死在乐寿堂，可是实际上，慈禧是在西苑仪鸾殿去世的。

其次，描述光绪帝的病情也不对，当时光绪帝身患重病，朝廷曾为此多次发布上谕，向全国征求名医，他的病情朝野皆知，不可能是“之前也从没有听说过他有什么急症大病”。

再者，宣布光绪帝死亡的人和地点也不对，自述中说宣布死讯的是隆裕的太监小德张，但当时小德张是慈禧身边的太监，慈禧死后，才成为隆裕的总管

↓光绪帝像

太监。而且小德张也没有理由跑到紫禁城外的太医院正堂宣布光绪帝驾崩，按上下文来看，在仪鸾殿宣布死讯才合情理。由此可见，这段口述史的可靠性也大大打了折扣。

光绪帝病死说

许多人根据正史记载和脉案认为光绪帝是正常病死。光绪帝本身体质虚弱，大小病不断。光绪三十三年（1907），光绪帝曾亲自书写了描述自己病情的《病原》，据医案和《病原》得知，他自幼体弱多病，患有遗精病将近20年，前几年每月遗精十几次，近几年每月不过二三次，经常是自行遗泄，冬天尤为严重，腿膝足踝常年冰凉，稍遇风寒必定头疼，耳鸣之症也持续了快10年，腰腿肩背常常酸沉，走路虚浮。

成年后，光绪帝的身体一度好转，虽仍有遗精、腰背酸沉等病症，但诊病用药的次数相对有所下降。然而从光绪二十四年（1898）年底以后，他的病情急剧恶化，从病症来看，他患有严重的神经官能症、关节炎和骨结核以及血液系统的疾病，这是导致他早亡的直接原因。皇帝的病情连外国人也有所听闻，光绪二十四年（1898），法国驻京使馆医官多德福曾赴瀛台为光绪帝治病。

到了光绪三十四年（1908）春，光绪帝的病情已经是十分严重了，遗精次数减少，但并非是即将痊愈，而是由于肾经亏损过于严重，无力发泄所致。他本人对自己日益加重的病情也十分着急，一再指责御医们无能，对御医的斥责严词，在《病原》中时有出现，反映了他焦躁绝望的心情。

宫中御医无计可施，朝廷发布谕令广召名医入宫为皇帝诊病，召得江苏名医陈秉钧和曹元恒入京诊视。但是光绪帝肝肾阴虚，脾阳不足，气血亏损，病势十分严重，无论是寒凉药还是温燥药都不能用。

↓颐和园玉兰堂（为当年囚禁光绪帝的地方）

五月初十，御医陈秉钧写的《脉案》上写有“调理多时，全无寸效”的字句。

在这种情况下，朝廷再次向直隶、两江、湖广、山东、河南等省督抚发出急电，催调名医入京。这次征召来京的名医有吕用宾、杜钟骏、施焕等人。七月十六日，杜钟骏为光绪帝看过病后，对旁人说道：“我此次进京，满以为能够治好皇上的病，博得微名。今天看来，徒劳无益。不求有功，只求不出差错。”可见光绪帝已经到了无药可救的地步。

十月中旬，光绪帝的病情进入了危急阶段，筋络酸跳，疼痛增重，早晨洗面手不能举，腰不能俯，咳嗽用力时皆牵震作痛，早间初起时尤重，甚至呼吸也觉得费力。杜钟骏私底下对人说：“此病不出4日，必有危险。”

十月十九日，光绪帝胸闷气短，咳嗽不断，全身倦乏，神智飘忽，只能靠良药吊着最后一口气了。二十日夜，他进入了弥留之际，四肢发硬，白眼上翻，牙关紧闭，药汁不入，陷入了昏迷状况。二十一日，光绪帝出气多入气少，脉搏似有似无，拖到傍晚，终于咽下了最后一口气。

光绪帝的死是属于虚痨之病日久，五脏俱病，六腑俱损，气血两亏，阳散阴固而死。从现代医学术语而言，即主要是肺结核，肝脏、心脏等器官衰弱以及风湿等慢性病导致抵抗力下降，最终死于心肺功能慢性衰竭、并发症感染。

光绪帝死于疾病似乎无疑，但是一位叫做屈桂庭的西医撰写文章，自称曾入宫为光绪帝诊病，他说在光绪三十四（1908）年十月十八日最后一次进宫为光绪帝诊病时，发现光绪帝原本已逐渐好转的病情却突然恶化，肚子剧痛，不过三天光绪帝便驾崩了。然而屈桂庭入宫诊病一事未见有档案记载，现存档案仅有屈永秋为光绪帝诊病的记录。不知屈桂庭和屈永秋是否为一人？随着屈桂庭的去世，他的记述已得不到证实。

悲惨人生

无论光绪是正常死亡还是被毒害，他的死归根究底还是与慈禧太后脱离不了关系。光绪帝虽贵为皇帝，却凄凉孤苦，他4岁继位，一个孩子在冷清的深宫里，孤苦无依，即使是他的生母醇亲王福晋也不被允许入宫相见。他每天必到慈禧太后面前请安，慈禧不命令他起，便不敢起。慈禧稍微不如意便令他长跪不起，一见面就疾言厉色，让光绪帝心惊胆战，如同老鼠见到猫。

宫中太监也奸猾懒惰，放肆地以下欺上，他每日三餐，固然是菜肴众多，但是多数已经腐烂，发出臭味，在光绪帝面前的菜，就算是没有腐烂，也多半是干冷，无法入口。因此他每餐都吃不饱，有时想要让御膳房做一道可口的菜，也不可得。上供的海味鲜果，慈禧身边的宫女尚且能够一饱口福，光绪帝反而不能分到一点。

↑颐和园宜芸馆（光绪帝的隆裕皇后在园中的住处）

食不饱，穿不暖，常年得不到关爱，让原本就不甚强健的光绪帝体质更加虚弱，时常生病。成年后，光绪帝的婚姻生活受到慈禧的干涉，随着爱侣珍妃的死，他的精神也遭受到重创。

光绪二十四年（1898)戊戌政变后，光绪帝被囚禁瀛台，成为了慈禧的傀儡，情绪低落，性情更为懦弱。正是这一年，他的病情开始恶化。光绪帝被幽禁后，完全失去了与外界的联系。召见大臣时，他在旁陪坐，却不允许开口。只有在慈禧命他问话时，他才会低低问道："外间安静否？年岁丰熟否？"每次都是这两句话，即使一天内见上数次，仍是这句话，而且声音极低，几乎不可闻。

本身体质虚弱，精神上又饱受摧残，从而加剧了光绪帝的病情，导致他英年早逝。从某种意义上来说，他确实是被慈禧太后害死的。

政治的牺牲品

被迫殉葬的大妃阿巴亥

阿巴亥被当作政治交易的筹码送给了努尔哈赤，怀着惶恐不安，她周旋在大汗的后宫中，以美貌和机智保住了自己的性命，并登上大妃之位。然而，荣华富贵是短暂的，处于权力争夺漩涡中的她，不时遭到诬陷攻击，随着努尔哈赤的离世，她的生命也悲惨地走到了尽头。

清太祖努尔哈赤虽然创立了后金政权，却并未建立后妃制度。当时正妻称“大福晋”，妾称“小福晋”，后世书籍中称正妻为“大妃”或“皇后”。努尔哈赤前后共有4位大妃，阿巴亥是他的最后一任大妃。

年轻的宠妃

阿巴亥生于明万历十八年（1590），她是女真乌拉部贝勒满泰的女儿，叔父是布占泰。万历二十一年（1593），叶赫、乌拉等九部联合进攻建州，结果大败，布占泰被俘。努尔哈赤优待布占泰，甚至还放他回去继承去世的满泰之位。明万历二十九年（1601），感恩戴德的布占泰将侄女阿巴亥嫁给努尔哈赤做小妾，当时努尔哈赤已经43岁，阿巴亥才12岁。

虽然年龄尚小，阿巴亥却凭着美丽和聪颖赢得了努尔哈赤的宠爱。两年后，努尔哈赤的第三任大妃孟古姐姐（皇太极之母）病逝，14岁的阿巴亥登上了大妃之位。当时努尔哈赤还有多名妻妾；选择年轻且无子的阿巴亥作为自己的正妻，可见他对阿巴亥确实是异常喜爱。

随后，阿巴亥先后为努尔哈赤生下了第十二子阿济格、第十四子多尔衮和第

↓努尔哈赤宝刀

十五子多铎。努尔哈赤爱屋及乌，将阿巴亥生的三个儿子视为珍宝，其中尤其喜爱多尔衮。

老夫总是宠溺少妻，随着阿巴亥在努尔哈赤心目中的地位逐渐提高，她也越来越受到其他人的忌恨。阿巴亥在尽情享受荣华富贵的同时，却没有注意到身后随时可能射过来的暗箭。

宫闱秘案

后金天命五年（1620）三月，努尔哈赤的一个小福晋代音察向他揭发大福晋阿巴亥与大贝勒代善关系暧昧。她说大福晋行为不检点，两次送饭给大贝勒代善，代善受而食之，又有一次给四贝勒皇太极送饭，皇太极受而不食。大福晋还经常派人至大贝勒家，恐怕是在策谋什么事，而且大福晋还几次深夜出宫，行踪诡秘。

代善是努尔哈赤的发妻佟佳氏所生的第二个儿子，自从褚英死后，他便成了努尔哈赤属意的继承人。代善吸取了哥哥的教训，为人处事都十分宽厚小心。努尔哈赤曾经说过，他百年之后，幼子和大福晋都交给代善照顾。

妻子和别的男人有不可告人的来往，这是任何一个男人都无法忍受的。努尔哈赤听到密告后暴跳如雷，他立即派达尔汗虾、额尔德尼、雅逊和蒙喀图四大臣调查此事。大臣们回禀此事属实，他们还说得有鼻子有眼，说每当宴会时，大福晋都会打扮得珠光宝气，与代善眉目传情。

努尔哈赤决定惩处阿巴亥，然而他深知其中的利害关系，也不愿家丑外扬，于是没有将代善定罪，而以阿巴亥将宫中财物私藏于阿济格家中、私赠衣帛给两个将领之妻等罪名剥夺了她大妃的名号。如果不是怜惜幼子无人照顾，努尔哈赤本来还想处死阿巴亥。代善虽然没有受到处罚，但他的名誉也因此大受损害。后又因听信继妻谗言，虐待亲生子硕托等事逐渐失去了努尔哈赤的信任。

那么，这件闹得沸沸扬扬的“私通”事件究竟是真是假？努尔哈赤表示过死后将阿巴亥和幼子托付给代善，阿巴亥也害怕他百年之后，母子失去依靠，因而送些食物以讨好代善是可能的，而且阿巴亥也送了食物给皇太极。再说，阿巴亥遣人至代善家，也并不意味着两人有不正当的关系，半夜出宫也不能证实她去的就是代善家，“眉目传情”一说更是诸贝勒大臣捕风捉影的说法。

再回头来看负责调查的四大臣的身份：额尔德尼是皇太极的亲信，其他三人都隶属于皇太极的正白旗，达尔汗虾还与代善结过怨。这就不禁让人怀疑这件事情与皇太极有关。

这桩蹊跷的桃色事件一箭双雕，既动摇了代善的嗣子之位，又除去了大妃阿巴亥，直接打击到多尔衮兄弟。因此，很多人都认为这件事情是一个阴谋，而且主谋者正是皇太极。阿巴亥就是这场政治斗争的牺牲品。

但史学界也有学者认为，天命五年被告发偷藏财物、与代善有私情而被休离的大妃不是阿巴亥而是富察氏衮代皇后，即努尔哈赤的第二任大妃。《清史稿·后妃传》中记道：“天命五年，妃得罪，死。”其中的“妃”指的就是富察氏。《清皇室四谱》也记载了因偷藏财物被休的大妃是富察氏。

然而理清史料，可以看出天命五年（1620）被休弃的大妃更有可能是阿巴亥。富察氏生年不详，她是努尔哈赤的堂嫂，先嫁于威准为妻，生下一子昂阿拉。威准死后，于明万历十三年（1585）前后嫁给努尔哈赤，生了二子一女，分别是第五子莽古尔泰、第三女莽古济格格和第十子德格类。富察氏嫁给努尔哈赤时，年龄至少在15岁以上。代善生于明万历十一年（1583）。天命五年时，富察氏已经50多岁，而代善是38岁，年龄相差如此之大，说两人“眉目传情”很难让人信服。而刚刚31岁的阿巴亥，风韵犹存，才可能与代善“眉来眼去”。

其次，此事发生后，努尔哈赤之所以只休离而不处死大妃的重要原因是孩子年幼、患病无人看护。富察氏最小的儿子德格类生于明万历二十四年（1596），此时已24岁，用“年幼”来形容是不恰当的。而阿巴亥的三个儿子阿济格15岁、多尔衮9岁、多铎7岁，与努尔哈赤的说法一致。综上所述，因偷藏财物被休弃的大妃应是阿巴亥。

阿巴亥虽然遭到休离，但是努尔哈赤对她的感情仍在，幼子的哭泣也牵挂着他的心。不到一年，努尔哈赤的怒火平息后，重新将阿巴亥接回宫中，恢复了她的大妃之位。阿巴亥的地位失而复得，自此，她更加谨慎小心地服侍努尔哈赤，在千娇百媚的小妻子的刻意逢迎下，老汗王龙心大悦，对她恩宠愈加。然而，随着努尔哈赤的驾崩，阿巴亥面临人生最大的一个困境。

| ↓八旗军服盔甲 |

荣华富贵享到头

天命十一年（1626）七月，努尔哈赤患病，前往清河温泉疗养，八月初七，病情加重，他决定返回盛京，并招大妃阿巴亥前来迎驾。行到浑河时，努尔哈赤与阿巴亥相会。八月十一日，一行人在距沈阳40里的叆鸡堡休息。当天未时（下午13时至15时），努尔哈赤病逝，享年68岁。阿巴亥一直陪伴在他的身边。

努尔哈赤死后的第二天，即八月十二日卯时（清晨5时～7时），四大贝勒宣称奉先帝遗言，令大妃殉葬。阿巴亥支吾不愿，希望有所转机。诸贝勒步步紧逼，不让她有逃脱的可能。在百般无奈下，阿巴亥被迫自缢殉死（一说被弓弦勒死）。《太祖武皇帝实录》对此事的始末是这样记载的：

"后（即阿巴亥）饶丰姿，然心怀嫉妒，每致帝不悦，虽有机变，终为帝之明所制。留之恐后为国乱，预遗言于诸王曰：'俟吾终，必令之殉。'诸王以帝遗言告后，后支吾不从。诸王曰：'先帝有命，虽欲不从，不可得也。'后遂服礼衣，尽以珠宝饰之，哀谓诸王曰：'吾自十二岁事先帝，丰衣美食，已二十六年，吾不忍离，故相从于地下。吾二子多尔衮、多铎，当恩养之。'诸王泣而对曰：'二幼弟，吾等若无恩养，是忘父也。岂有不恩养之理！'于是，后于十二日辛亥辰时自尽，寿三十七，乃与帝同柩。"

也就是说，阿巴亥风姿妖娆，颇有心计，努尔哈赤在世的时候能治得住她，然而他担心在他死后，无人能控制阿巴亥，于是事先留下遗言让阿巴亥殉葬。阿巴亥虽然不愿，但遗命不得不从，乞求诸贝勒照顾多尔衮兄弟后自尽。

阿巴亥殉死内幕

阿巴亥的死果然这么简单吗？对于她的殉葬，史学界向来有两种不同的看法，

一种是阿巴亥从殉确实是出自努尔哈赤的遗命，另一种则认为是皇太极等人矫诏，逼迫阿巴亥殉死的。

持前一种说法的学者认为，努尔哈赤虽然宠爱阿巴亥，但更重视政治大局，这从他逼死弟弟舒尔哈齐和长子褚英便可以看出来。他之所以逼迫阿巴亥从殉，一来是杜绝她与诸贝勒有私情，当时阿巴亥37岁，代善43岁，皇太极35岁，他们之间的年龄相差不大，大妃又是风华正茂。如果阿巴亥想和哪位贝勒私通，是没有人可以阻止得了的；二来是避免阿巴亥干政，努尔哈赤宠爱阿巴亥所生三子，把自己麾下两黄旗（一共60个牛录）中的45个牛录一分为三，交给他与阿巴亥所生的阿济格、多尔衮和多铎，他还决定在自己死后把剩下的15个牛录留给幼子多铎。阿巴亥本人“有机变”，如果凭着三子的权势和自己特殊的地位，有可能会造成“国乱”，所以来一招“汉武帝杀钩戈夫人”。

但这两条理由都被反对者否决了，他们认为，努尔哈赤生前曾说过百年之后将大福晋托付给代善的话，说明他并不在意阿巴亥在他死后的私情问题，况且游牧民族有转房婚的婚俗，儿子继承父亲的少妻很常见，努尔哈赤不会对此耿耿于怀。努尔哈赤素来爱护多尔衮三兄弟，属意多尔衮继位也未尝不可。倘若他处死了阿巴亥，便等于断送了多尔衮的皇位之路，而且当时多尔衮15岁，多铎才12岁，努尔哈赤怎么可能杀死阿巴亥让年幼的孩子没有依靠？

再者，从当时的殉死风俗来看，虽然存在夫死妻殉的习俗，但是殉夫者一般都是地位较低的无子的妾，很少有正妻殉死的，而且阿巴亥膝下有两个幼子，需要母亲照顾。从情理来看，努尔哈赤遗命阿巴亥殉葬的可能性很小。

另外值得一提的是，为努尔哈赤殉死的，除了阿巴亥，还有他的两个小福晋，其中一个就是曾经告发过阿巴亥的代音察。在努尔哈赤的庶妃中，为何选择她殉葬？这似乎在隐晦地说明当年的宫闱丑闻和今日的大妃殉葬背后都有幕后黑手在操控。

幕后黑手是谁？皇太极，代善，或者是诸贝勒的合谋？这一切都无从得知了。无论如何，从阿巴亥的死中，得到最大好处的是皇太极，但这令他永远也洗脱不去嫌疑。无论是努尔哈赤的遗命还是皇太极的阴谋，大妃阿巴亥最终成为了政治游戏的牺牲品。她自尽后，当日盛殓，与努尔哈赤的遗体同时出宫，安放在沈阳城内西北角。

天命十一年（1626）九月初一，皇太极终于登上了得来不易的汗位，改元天聪。继位翌日，为了安抚人心，他亲率代善等贝勒誓告天地，禀明自己敬重兄长、爱护子弟之心。他还宣布，以后对三大贝勒不以臣礼相待，而是以兄礼事之；以后“四大贝勒并肩而坐，处理军政大事，四人轮流分值”。

死后荣辱

阿巴亥虽然死了，但她的故事还没

有结束。天聪三年（1629）二月，努尔哈赤葬入沈阳福陵，同时入葬的还有孟古姐姐、富察氏和阿巴亥。然而史书上只记载了孟古姐姐和富察氏，没有提及阿巴亥。皇太极称帝后，追谥其生母孟古姐姐为“孝慈昭宪纯德真顺承天育圣武皇后”，并将其神牌供放于太庙内。阿巴亥同样是努尔哈赤的大妃，却没有被追谥为皇后，也没有配享太庙。阿巴亥被有意无意地忽略了。

阿巴亥生的三个儿子阿济格、多尔衮和多铎个个才智非凡，尤其是多尔衮，他计谋深远，作战骁勇，屡立战功，深受皇太极器重。清太宗皇太极驾崩后，他辅助幼主福临登上皇位，率清兵入关，入主中原，当上了权势炙手可热的摄政王。对于母亲的死，他一直心存疑虑，至于皇太极不公允的做法，他也看在眼里，记在心上。

顺治七年（1650）八月，多尔衮以顺治帝的名义，正式追谥阿巴亥为“孝烈恭敏献哲仁和赞天俪圣武皇后”，将其神牌升祔太庙，与努尔哈赤并列太室，同飨玉筵。然而好景不长，同年年底，多尔衮暴病身亡，而后获罪被挫骨扬灰。阿巴亥的谥号随之被追夺，牌位也从太庙中撤出。虽然100多年后，乾隆帝承认了多尔衮为大清朝所做的丰功伟绩，并且恢复了他的名誉，但对其生母阿巴亥却一字不提。阿巴亥再一次被忽视了，从此，她在史书上销声匿迹。

↓福陵隆恩殿

福陵是清太祖努尔哈赤及其皇后叶赫那拉氏的陵寝，始建于后金天聪三年（1629），竣工于清顺治八年（1651）。

清初第一疑案

孝庄太后下嫁

孝庄太后一生历经三朝，她两辅幼帝，遇过险风恶浪，看尽风云变幻，是引领大清走向兴盛的奇女子。民间关于她的传说故事数不胜数，其中最受关注也最扑朔迷离的便是下嫁多尔衮一案，这一历史谜团至今仍然困扰着史学界。

孝庄太后其人

孝庄太后名为博尔济吉特·布木布泰（一译本布泰），野史中将她称为“大玉儿”是没有根据的。布木布泰是蒙古科尔沁部贝勒寨桑的次女，生于明万历四十一年（1613）。早年她的姑姑哲哲嫁给了皇太极做福晋，也就是后来的孝端文皇后。哲哲嫁给皇太极多年，但一直没有诞下子嗣。为了拉近与科尔沁部的关系，皇太极又于天命十年（1625）二月，迎娶了哲哲的侄女布木布泰，即后来的孝庄太后。当时布木布泰只有13岁，在哥哥吴克善的护送下，她来到后金的新都辽阳，成为皇太极的侧福晋，那年皇太极已经34岁。

崇德元年（1636），皇太极在盛京称帝，改国号为大清，遵循古制分封五宫后妃，布木布泰被封为永福宫庄妃。布木布泰一共为皇太极生下了三女一男，天聪三年（1629）生皇四女，天聪六年（1632）生皇五女，次年，又生下皇七女。布木布泰虽然比不上哲哲和后来居上的姐姐——宸妃海兰珠得宠，但是从子女的数量和生育时间来看，她在皇太极心目中还是颇有地位的。崇德三年（1638）正月，布木布泰生下皇九子福临，这一天恰巧是宸妃所生的皇八子死后的第二天。福临的诞生给痛失爱子的皇太极带来了极大的安慰，也大大提升了布木布泰在宫中的地位。

崇德八年（1643）八月初九，皇太极突然驾崩。由于他生前没有立储，因此出现了皇位之争。当时争夺王位的热门人选是皇太极之弟多尔衮与皇太极的长子豪格，多尔衮与豪格两人实力相当，剑拔弩张，各不相让。经过一番政治权衡、妥协的结果是由年幼的皇九子福临继位，多尔衮和郑亲王济尔哈朗共同辅政。

当时孝庄太后才31岁，而福临不过6岁。福临继位之后，母以子贵，孝庄太后当上了皇太后，称圣母皇太后。不久，大清入主中原，定都北京。清朝初年，政局动荡，事务繁多，八旗贵族之间争权夺利，孤儿寡母面对这一场乱局，心中忐忑可想而知。为了维护儿子的帝位，保住大清的江山，孝庄太后可谓是呕心沥血、费尽心机。

1661年，顺治帝福临出痘，病逝于养心殿。顺治帝的第三子玄烨即位，改元康熙。康熙帝当时才8岁，幼小孱弱，因此，孝庄太后又担当起了培养第二代幼帝的大任。她对康熙帝投入了极大的心血，积极辅佐他亲征，协助他铲除鳌拜集团，并为他平定三藩之乱提供了坚实的后盾。孝庄太后对大清的兴盛贡献巨大，因而人称“两朝兴国太后”，这一评价不可谓不高。

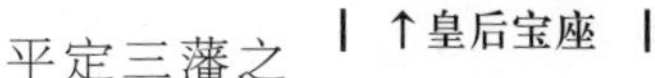

↑皇后宝座

奇怪的墓制

康熙二十六年（1687），孝庄太后走完了她不寻常的一生，临终前，她叮嘱孙儿康熙帝道：“太宗皇帝的山陵奉安已久，就不要再惊动他的亡灵了，况且我又舍不得你们父子俩，就将我葬在你父亲的孝陵附近吧，好让我死后也能望着你们。”说完，孝庄太后溘然长辞，享年75岁。

孝庄太后逝世后，康熙帝遵照她的懿旨，没有将她葬在皇太极的昭陵，而是将她生前居住的慈宁宫拆迁移建到孝陵附近的昌瑞山下，改称“暂安奉殿”，停灵其中，这一停就是38年。直至雍正三年（1725），孝庄太后的曾孙雍正帝才建陵安葬，谥为孝庄文皇后，这也是后人称之为“孝庄太后”的由来。

奇怪的是，孝庄太后并没有像其他葬于清东陵的帝后一样葬在风水墙（界墙）的里面，而是被葬在了风水墙的外侧。孝庄太后为什么不愿葬回皇太极的身边，其陵墓又为什么被葬在风水墙的外边呢？难道其中有什么不为人知的秘密？

史书上的说法是孝庄太后不愿惊动皇太极的灵魂，又舍不得儿孙，然而人们却不相信这个说法。对此，民间传说甚多，有人说，孝庄太后下嫁给多尔衮，已不是皇太极的皇后了，所以她没有资格入葬昭陵，也无颜与皇太极相见于地下，只好孤零零地葬在儿孙的陵寝外面，为王室陵园看门。真相果然如此？历史上又确有孝庄太后下嫁一事吗?

民国初年小横香室主人所著的《清朝野史大观》中有《太后下嫁摄政王》、《太后下嫁贺诏》和《太后下嫁后之礼制》三篇文章专记太后下嫁之事；民国八年（1919），古稀老人著有《多尔衮轶事》一书，对太后下嫁的过程描写得更是栩栩如生，如同身临其境。他特地安排了太后诈崩，在举行丧礼后，再以皇帝乳母的身份嫁给多尔衮的情节。诸如此类的故事，野史记载甚多。有野史这样记载：

孝庄太后在嫁给皇太极之前，早已和多尔衮私订终身。皇太极横刀夺爱，一对小情人无奈分离。皇太极逝世后，多尔衮为了确保福临即位，为了保住所爱女人的地位，宁肯放弃自己当皇帝的机会。当上摄政王后，多尔衮专擅朝政，如果欲废帝自立，简直是易如反掌。正值盛年的孝庄太后为了拉拢多尔衮，不惜以太后之尊下嫁于他。不久，多尔衮的正妻逝世。朝中大臣范文程等人乘机鼓动太后和多尔衮成婚。

定下婚期后，孝庄太后和多尔衮以顺治帝的名义颁诏天下，宣称："太后盛年寡居，春花秋月，悄然不怡。朕贵为天子，以天下之养，乃独能养口体，而不能养志，使圣母以丧偶之故，日在愁烦抑郁之中，其何以教天下之孝？皇叔摄政王现方寡居，其身份容貌，皆为中国第一人，太后颇愿纡尊下嫁。朕仰体慈怀，敬谨遵行。一应典礼，着所司预办。"于是孝庄太后公然嫁给了小叔子多尔衮。

顺治七年（1650），多尔衮出猎古北口外，不慎坠马跌伤，旧疾复发，十二月初九死于喀喇城，享年39岁。灵柩运回北京，顺治帝追尊他为义皇帝，庙号成宗。多尔衮的葬礼依照皇帝的规格举行，埋葬在北京东直门外。次年，有人揭发多尔衮生前曾与党羽密谋，企图阴谋夺位。

顺治帝早对太后下嫁一事耿耿于怀，听闻禀奏后新仇旧恨一并涌上，他召集王爷大臣密议，抖出多尔衮企图谋逆的数条罪状，撤去多尔衮的帝号，并将其挫骨扬灰。孝庄太后此时感到改嫁之事实属荒唐，也不禁后悔起来，下令民间不得再议论此事。而后的清代统治者接受了汉人的道德观念，认为此事不成体统，便将史书中有关记载全数抹去，以模糊世人视听。

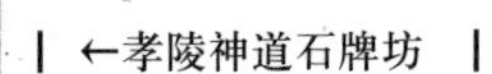
←孝陵神道石牌坊

太后是否下嫁

太后下嫁的传说数百年来流传于民间，传得沸沸扬扬。那么历史上究竟有没有孝庄太后下嫁多尔衮一事？他们之间有没有私情？有没有可能如小说家所言嫁给皇太极之前，孝庄太后早与多尔衮暗生情愫？

孝庄太后出生在蒙古科尔沁，多尔衮则出生在满洲赫图阿拉，两地相距甚远，他们不可能是青梅竹马、两小无猜。明万历四十二年(1614)，皇太极迎娶哲哲。有人认为娶亲时，多尔衮一同跟去，见到孝庄太后，进而相恋。实际上，当时是送亲，即科尔沁将本族的女子送来，而不是皇太极到科尔沁去娶亲，所以这一说法也不能成立。即使孝庄太后跟随在送亲的队伍中，与多尔衮有了一面之缘，他们也不可能产生爱情，因为那时孝庄太后还不到两岁。

孝庄太后嫁给皇太极的次年，努尔哈赤病逝，多尔衮的母亲大妃阿巴亥殉葬。母亲死后，多尔衮由哲哲养于宫中。那一年多尔衮15岁，孝庄太后14岁。多尔衮和孝庄太后有可能常在哲哲的宫中相遇，一个是英俊少年，一个是美貌少女，产生朦胧的爱苗也是可以理解的。但这只是推断，即使两人之间有恋情，也不能算是私定终身，因为当时孝庄太后已是多尔衮的嫂子，更不能以此证明日后孝庄太后就一定嫁给了多尔衮。

↑清·五彩鱼藻盘

孝庄太后下嫁多尔衮一说是怎么传开的呢？这件事与一首七绝诗有关，清初诗人张煌言写了一组诗《建夷宫词》，一共10首，其中有首诗是这么写的：

上寿殇为合卺尊，慈宁宫里烂盈门；春官昨进新仪注，大礼恭逢太后婚。

翻译成白话就是，太后所居的慈宁宫里张灯结彩，怎么回事？原来是太后下嫁了。看来太后下嫁一事是千真万确了，而且办得很隆重，要不然民间怎么知道呢？但是张煌言是什么人？明朝遗臣、抗清将领！他这首诗的标题是《建夷宫词》，用建夷来称呼清，明显带有民族偏见。而且张煌言当时在江南，处于南明的统治区下，消息哪有那么灵通？更多的可能是道听途说。况且这是诗词，不是历史文献，使用夸张手法也很正常，不能把诗中的每一句都当成事实。

而且这首诗中的描写也有不符合现实的地方，“慈宁宫里烂盈门”说的是慈宁宫里操办喜事。然而据历史档案记载，慈宁宫在李自成撤离皇宫时被焚毁，顺治十年（1653）重新修葺，皇太后才搬至慈宁宫。多尔衮死于顺治七年（1650），他与孝庄太后是不可能在此举行婚礼的。

尽管《建夷宫词》不能成为历史根据，但是这并不能打消人们的疑问。支持太后下嫁说的学者列出了以下几条论据：

一是与许多北方游牧民族一样，满洲有个婚俗，称为“转房婚”。转房婚，又称为“收继婚”、“升房婚”、“转亲婚”、“叔嫂婚”等，一般是指父亲死后某一特定的儿子收娶其后母，或者兄长死后弟弟收娶其嫂，或者弟弟死后兄长收娶其弟媳，以免寡妇带着财产嫁给其他部落。据古籍记载，转房婚曾在汉族和周边少数民族中广泛流行。宋以后，中原地区受到伦理的约束才逐渐消失，然而在偏远地区和少数民族地区转房婚仍然很常见。所以孝庄太后嫁给多尔衮是符合风俗习惯的，没有一点障碍。

←孝庄太后画像

二是大清定鼎中原之后，顺治帝对多尔衮的称呼一变再变，先是叔父摄政王，继之是皇叔父摄政王，后加封为皇父摄政王。明明是叔父，却直称为“皇父”，这不是明摆着说多尔衮与孝庄太后结了婚吗？

三是乾隆年间一个叫蒋良骐的史学家写了一部叫《东华录》的书，记录多尔衮死后，顺治帝追查其罪时，有一条罪状是：“又亲到皇宫内院。”可是后来编修的《清世祖实录》里却删掉了这一情节，可见其中确有隐情。多尔衮到后宫里找谁？自然是孝庄太后，孤男寡女在一起，能不引人怀疑吗？

四是1946年学者刘文兴写了《清初皇父摄政王多尔衮起居注跋》一文，文中写道，1909年，他的父亲刘启瑞任内阁学士，奉命整理内阁大库的档案，曾亲眼目睹顺治年间孝庄太后下嫁皇父摄政王的诏书。

虽然支持太后下嫁说一派提出了许多看上去可信的证据，但是这些证据却被反对太后下嫁说的学者一一否定了。对于第一条论据，这一派的学者认为满族的风俗习惯中确实有转房婚的习俗，但这只能表明有这一婚俗习惯的存在，并不能以此推断多尔衮娶了孝庄太后。

顺治帝称多尔衮为“皇父摄政王”不假，然而在中国古代皇帝称德高望重的大臣为父并不奇怪，例如周文王即尊称姜子牙为“尚父”。况且多尔衮的“皇父”之称与孝庄太后并无关系，从叔父、皇叔父直到皇父，这几种称呼都是出自大臣的建议，而且是进行了正式的廷议后才确定的。

至于“又亲到皇宫内院”一条，学者们认为因公进后宫也好，因私进后宫也好，无论如何，孝庄太后和多尔衮的关系应该是比较亲密的，可能在公也可能在私，但不能表明孝庄太后就是嫁给了多尔衮。恰好相反，如果孝庄太后下嫁多尔衮，那么多尔衮就不用“到”内院，而是住在内院，或者孝庄太后住进他的府第，更不会成为顺治帝归罪多尔衮的一条罪状了。

对于论据四，假若真有太后下嫁诏书，那么就是铁证，然而直至今日，没有任何一个人可以证明他看到了下嫁诏书，文献档案里也不见记载。同时学者们又指出，如果真有太后下嫁之事，当时朝鲜的《李朝实录》中便应该有所记录。因为清朝的诏书基本都会发给朝鲜一份，但事实上其中没有任何关于太后下嫁的记载。

直至今日，孝庄太后下嫁多尔衮一事，否定者有之，肯定者也有之，事情的真相如何，史学界至今仍然没有一个定论。

那么，又如何解释孝庄太后奇怪的葬制呢？实际上这一安排是有深意的。孝庄太后的遗愿是陪伴在儿孙身畔，但是顺治帝的孝陵处于陵区内至高无上的位置，而孝庄太后是顺治帝的生母，将她葬在陵区内任何地方，位置都低于孝陵，这就与她的辈分不相称。既不能违背祖母的意愿，又不能将孝庄太后的陵墓葬在孝陵，这让康熙帝犯了难，以致将孝庄太后的棺椁停灵数十年。这个难题直到雍正帝继位后才得到解决。

雍正二年（1724），雍正帝为孝庄太后建陵，定名为“昭西陵”，建在风水墙外，表明虽葬在遵化清东陵，但与远在沈阳的皇太极的昭陵仍是一个体系。如此一来，既满足了孝庄太后的遗愿，又确定了两个体系的区别。次年十二月陵寝竣工，停灵近40年的孝庄太后梓宫葬入昭西陵地宫，随着地宫大门的关闭，一切尘埃落定。

汉族公主魂归何处

孔四贞下葬公主坟之谜

身为清唯一的一位汉族公主，孔四贞的一生可以说是历经坎坷。由于父母早逝，她一直在宫中生活，原以为可以尽享荣华安逸，然而其身份却注定了她无法选择自己的命运。她一次又一次地经历绝望，夫死、子亡、被囚，最后终于悲凉凄惨地走完了余生。

在北京有很多地名带“坟”字，如八王坟、索家坟等。八王坟是英亲王阿济格之墓，索家坟是清初大臣索尼的家族墓地，这些“坟”都能找到所属者，唯独京西的公主坟，不能明确其主人身份。据说，里面埋葬的是汉族公主孔四贞。

家破人亡堪凄凉

孔四贞生于崇德七年（1642），是定南王孔有德之女。孔有德是乱世枭雄，曾当过海盗，后投效明将毛文龙，成为毛文龙麾下的一员猛将。毛文龙被袁崇焕杀害后，孔有德率众投奔登莱巡抚孙元化。天聪五年（1631）秋，皇太极率清兵攻打大凌河城（今辽宁省锦县），将守将祖大寿围困于城内。孙元化急令孔有德赶赴增援。孔有德却趁机发动兵变，占领重镇登州。次年，明军围攻登州。天聪七年（1633）春，眼看登州难保，孔有德率众投降后金。崇德元年（1636），孔有德被封为恭顺王，先后率领八旗兵出征朝鲜、锦州、松山等地。

顺治元年（1644）清军入关后，孔有德转战南北，追剿农民起义军，镇压江南等地的抗清斗争。顺治三年（1646），孔有德被授为平南大将军，负责攻打南明永历政权。顺治六年（1649），他被封为定南王，驻军桂林，镇守广西。顺治九年（1652），李定国率领的农民起义军攻打桂林。孔有德无路可走，手刃妻妾，聚集珍宝于一室，闭门自焚。李定国破城后，将孔有德的尸体挫骨扬灰，将其家一百二十余口人悉数杀害。兵荒马乱之中，孔四贞被孔有德部将线国安救出，侥幸得以逃生。

听闻孔有德殉国的消息后，顺治帝

大感震惊，下令撤朝以示哀悼，上谥号为“武壮”。孝庄太后有感孔有德对大清的贡献，下令将孔四贞送入宫中由她抚养。孔四贞入宫后，受到极高的待遇，“赐白金万，岁俸视郡主”。

清宫里的汉族公主

顺治十一年（1654），孔有德的老部下线国安、李茹春率军击败李定国的起义军，重新夺回广西。同年，孔有德的灵柩自广西经北京运往东京（今辽宁省辽阳市）安葬。灵车抵京之日，顺治帝下旨遣派内大臣、礼部官员迎接奠祭，并令和硕亲王以下、梅勒章京（副将）以上的官员出城相迎，又派礼部侍郎给孔四贞送去白银两万两，供其生活所需。孔四贞接受赠银后，提出将父亲葬于北京，以便她能时常拜祭。顺治帝同意了这一要求。为了表示对孔四贞的恩典，顺治十七年（1661），还将孔四贞封为和硕格格。

↑低领阔镶边长袄

孔有德死后，年幼的孔四贞成了名义上的定南王藩军之主。孝庄太后之所以抚养她，是因为一来能显示出清廷优待功臣的态度，二来又能借此控制定南王旧部。

顺治十三年（1657）六月，孝庄太后下旨：“定南武壮王女孔氏，忠勋嫡裔，淑顺端庄，堪翊壶范，宜立为东宫皇妃，尔部即照例备办仪物，候旨行册封礼。”显然，孝庄太后为了直接掌控定南王旧部，不惜打破汉女不入后宫的祖制，也要册封孔四贞为妃。

然而，顺治帝却以和硕襄亲王博果尔薨逝为由推迟此事。此时年轻的皇帝已经迷恋上了董鄂氏，同年八月册封董鄂氏为妃，不足3个月，又晋升其为皇贵妃，恩宠非常。孔四贞封妃之事只好不了了之。

孝庄太后无可奈何，只好为孔四贞另择佳婿。孔四贞此时却上禀，声称父亲孔有德在世时，已经将她许给了部将孙龙之子孙延龄。孝庄太后听闻此言，便给孔四贞和孙延龄完婚，并赐给他们西华门外的一处府第。

可是，孔四贞和孙延龄的婚姻生活并不和谐，孔四贞是定南王之女，又受到皇太后的恩宠，可谓是天之娇女，而孙延龄不过是定南王藩下偏将孙龙之子。因此孔四贞颇看不起孙延龄。孙延龄心中忌恨，但不敢得罪太后，只好表现得很恭谦，事事顺从孔四贞。孔四贞以为他个性和柔，遇事更是常常专断自决。孙延龄愈加不平。

天之娇女命运多舛

康熙三年（1665），孔四贞以家口众多、费用浩繁为由，向朝廷提出就食广西的要求。清廷准许了她的请求。孔四贞与孙延龄举家南下，当乘船行至淮安时，朝廷下旨，诰封孙延龄为特进上柱国、光禄大夫，世袭一等阿思尼哈番、和硕额附、镇守广西等处将军，封孔四贞为一品夫人。

孔四贞本身是和硕格格，等级比孙延龄高，此次朝廷却根据孙延龄的官品封她为一品夫人，相当于扬孙抑孔。孔四贞心生不满，认为是孙延龄从中作祟，两人感情从此更加恶化。

抵达广西后，孔四贞掌管定藩，她虽果敢坚毅，却不精通权术，也不擅长治理府事。而孙延龄出身低微，夫以妻贵，年纪又轻，自然为藩下旧臣看不起。清廷又指示戴良臣、王永年等人以种种手段离间他们夫妻的感情，夫妻明争暗斗，反而使大权旁落他人之手，从而给孔四贞带来了更大的灾难。等到孔四贞恍然大悟，与孙延龄和好如初时，夫妻俩的权力已被架空，悔之已晚。

和好后的夫妇二人，力图夺回失去的权势。康熙十二年（1673）二月，王永年克扣军饷，引起军队不满，孙延龄让孔四贞赴京告状。王永年闻讯后立即派人半路截住孔四贞，阻止她进京，孔四贞只得返回。

同年底，康熙帝撤藩，吴三桂起兵叛变。孙延龄试图借此清除内患，而孔四贞又是吴三桂的义女，两家素有来往，于是他顿生反心，设伏兵杀了王永年，投奔吴三桂，受封为临江王。

孙延龄虽然得到了“临江王”的封号，在吴三桂阵营中却处处受人抑制，非常失落。孔四贞也想起了朝廷对孔氏一门的恩典，于是规劝丈夫归顺清朝。孙延龄犹豫不决之时，又发生了一件大事。康熙十五年（1676），定南军士不满孙延龄，欲立老将线国安之子线三公子为王。军队哗变，反势汹汹。孙延龄和孔四贞逃匿到百姓家。不久，因线三公子治军太严，军士又想迎回孙延龄。当军士找到孙延龄夫

↑缎钉绫凤戏牡丹纹高底旗鞋

清代满洲贵族妇女装有“花盆底”的旗鞋，一般要比普通女鞋高出二至三寸。

妇的藏身之处时，孙延龄吓得发抖，不敢出来。

孔四贞不愧是将门虎女，她说：“出亦死，不出亦死。”毅然独自出来见军士，呵斥道：“你们这些人杀我夫妇很容易，难道你们全然不念已经去世的定南王？”军士急忙跪下叩首，说明来意。孔四贞唤出孙延龄。孙延龄见状对孔四贞心悦诚服，并表示愿意听从她的劝告归顺大清。

吴三桂获悉这一消息后，派人暗杀了孙延龄，孔四贞唯一的儿子后来也被杀害。

公主坟里葬何人

孔四贞的苦难还没有结束，她被掳到了昆明，名义上是保护她的安全，实际上却形同软禁。孔四贞被幽禁了6年，直到“三藩之乱”平定后，才孑然一身回到了京师。有野史说她被康熙帝收入后宫，其实这不过是无稽之谈，回京时的孔四贞只是个人老珠黄的寡妇，也失去了政治利用价值，是不可能被康熙帝看上的。

孔四贞的晚景颇为苍凉，早在她举家前往广西后，清廷便将她的名分由和硕格格降为郡主，并明确下不为例。失去了皇恩的庇佑，又无夫无子，她心如枯井，冷清度日。康熙五十二年（1713），孔四贞走完了她传奇又凄凉的一生。

传说孔四贞死后葬在京西公主坟，此说一直流传于民间。公主坟的主人到底是不是孔四贞呢？1965年，北京修建地铁，工地施工经过公主坟。人们发掘时，惊异地发现公主坟有两位公主的墓葬，这两位公主不是传说中的民间公主，也不是孔四贞，而是嘉庆皇帝的女儿庄敬和硕公主和庄静固伦公主。庄敬和硕公主是嘉庆帝第三女，她于嘉庆六年（1801）下嫁蒙古亲王索特纳木多布济，嘉庆十六年（1811）卒，享年31岁。庄静固伦公主为嘉庆帝第四女，于嘉庆七年（1802）下嫁蒙古族土默特部的玛尼巴达喇郡王，嘉庆十六年（1811）卒，享年28岁。两位公主同年相继逝世，所以葬在了同一处地方。

既然孔四贞没有葬在这里，那她究竟魂归何处？史书上对此并没有明确记载。据考证，她有可能葬在了阜城门外的孔王坟、其父孔有德的墓旁，历经了半生富贵、半生凄凉之后，她最终回到了父亲的身边。

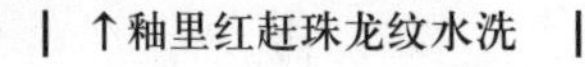

↑釉里红赶珠龙纹水洗

花样年华 寂寞深宫

清宫 选秀制度

清王朝的统治者是少数民族，他们所制定的后宫制度与历代王朝不同，其选秀不是全国选美，而是仅从旗人女子中选取，且有一套严格繁琐的程序。经过一道又一道步骤，秀女们才能走进高高围墙里的深宫别院。她们的命运也各不相同，幸运者可能步步高升当上皇后，但更多的是终生不复见家人，耗尽青春年华也无人怜惜。

满清入关以前是没有选秀一说的，努尔哈赤和皇太极的婚姻基本上都是政治联姻的产物。

顺治十年（1654）十月，顺治帝以谕旨的形式宣告天下举行选秀活动。他将满洲官员和外藩王公大臣家的女子纳入了选后的范围，虽然范围不若后世之大，但初步确定了选秀制度。

谁能参加选秀

选秀制度在顺治年间初定，历经康熙、乾隆、嘉庆等朝的多次修订，逐渐成为定式。清代后宫，上至皇后，下到宫女，都是从旗人女子中挑选出来的。满族人是旗人，而旗人不一定是满族人，其中还包括蒙古人、汉人。旗人分为八旗和内务府包衣三旗，八旗包括满洲八旗、蒙古八旗和汉军八旗；内务府包衣三旗是清皇室的奴隶，二者的政治地位不同。所以，尽管清初将八旗和包衣三旗的女子都称为秀女，但挑选的方法和她们在宫中的地位却有所不同。

八旗秀女每三年挑选一次，由户部主持，以充实后宫，备皇后妃嫔之选，或者赐婚皇子皇孙以及近支宗室；包衣三旗秀女，每年挑选一次，由内务府主持，虽然其中有一些人可能会被皇帝看上，最终升为妃嫔，但绝大多数只是承担后宫杂役。到了清代后期，包衣三旗的应选女子就不再称为秀女，而是“使女”了。

因此，一般意义上的秀女实际上指的是八旗秀女。满清规定，凡是满、蒙、汉军八旗官员、另户军士、闲散壮丁家中年满13岁至17岁的女子，都必须参加三年一度的备选秀女，17岁以上的女子不再参加。康熙年间增加了一条新规定，后族近支或母族系宗室觉罗之女，可免选秀女。乾隆八年（1743）又下了一道谕旨，为了避免往返跋涉之苦，任职外地的旗人文官同知以下，武官游击以下之女，可以不参选。

↑储秀宫
储秀宫内正间，慈禧太后曾居此宫。

嘉庆五年（1800），嘉庆帝下旨后宫嫔以上后妃的亲姊妹可以免选。然而7年后，嘉庆帝又改变了主意，皇后、妃、嫔的亲姊妹以及亲弟兄、亲姊妹之女仍需要参选，不过另作一列，不与其他秀女等同，等于是区别对待。在嘉庆之前，公主下嫁后生的女儿也要备选，嘉庆帝觉得不合人伦，便下令免除了这条规定。

在旗女子必须全部参加选秀，如果想逃避只会是自讨苦吃，而不在旗的女子想参选则难如登天。乾隆五年（1740）规定，如果旗人女子在规定的年限之内因种种原因没有参加阅选，下届仍要参加阅选。没有经过阅选的旗人女子，即使过了婚龄也不准私自聘嫁，如有违例，女子及其家人都会受到惩治。乾隆二十年（1755），再次补充规定：应阅视的秀女，在未受阅选之前，私自与宗室王公结姻者，其母家按照隐瞒秀女的处罚条例议处。在报名阅选秀女时，如果符合选秀条件的旗人女子确实有残疾的，必须经过族长、领催、骁骑校、佐领等层层报到各旗都统，申明原因，都统禀明户部，户部奏准皇帝，才准免选。

秀女是如何选出来的

虽然旗人女子都能参加选秀，但是当选的毕竟只是少数，秀女们入宫要经过一次次严格的考察。每次临近挑选秀女时，户部发公文给各旗都统，都统再层层通知下级审查秀女资格，随后将参选女子的年龄出身等情况统计在册，统一汇报户部。户部上奏皇帝，待皇帝批准选阅秀女的日期后，再发文给各旗都统，命令各旗制作秀女花名册。参选的女子一般13岁至17岁，不过也有例外，据清宫档案记录，最小的有11岁，大的可达20岁。

各旗选送的秀女，要用骡车提前送到京城。由于秀女的家庭背景不一，宦官之家尚有车辆送行，兵丁之家却只能雇车乘坐。因此，乾隆年间规定，凡是参选秀女，无论家境如何，每人赏银一两，以充雇车之需。在应选的前一天，秀女们坐在骡车上等候入宫，骡车上挂着两个灯，上面书明此女的家世身份。各旗根据满、蒙、汉的顺序安排次序，称为"排车"，最前面是宫中后妃的亲姊妹以及亲兄弟之女，其次是复选的女子，最后是新选送的秀女，按照由幼及长的年龄顺序排列。

秀女骡车日落时分发车，入夜时至神武门外，宫门开启后下车，由太监引入宫中，在顺贞门前集齐，再按事先排好的顺序，进顺贞门备选。选看的地点各朝不尽相同，体元殿、静怡轩等处，都曾是阅选秀女的场所。一般每天只阅看两个旗，通常是五六人一排。每人身上都带着一张木牌，上面写着秀女的旗籍、父名、本人年岁等内容，称为绿头牌。如有被看中者，就留下她的名牌，这叫做留牌子；没有选中的，就撂牌子。被留牌子的秀女定期复选，复选而未留者，也称为撂牌子。

经复选再度被选中的秀女，或赐予皇室王公或宗室为妻妾，或留于皇宫之中，成为后妃的候选人。如果成为后妃的候选人，程序会更为复杂，屡屡"复看"后选中留牌子的，称为"记名"。选中记名的秀女留宫察看是否有恶习或性情如何，最后选定人数，其余的都撂牌子。秀女初得的封号一般是答应、常在、贵人，也有少

↓清宫女蜡像

数被封为嫔妃，以后可逐级晋封。

选秀女是选美吗

一听到选秀女，许多人脑海里会浮现出一群花枝招展的美丽少女供皇帝挑选的场景。实际上，美貌从来不是挑选秀女的首要标准。从现存的清末应选秀女照片可看出，秀女高矮胖瘦各异，美丑不一，穿得十分素朴。

清朝明确规定，八旗秀女阅看时，必须穿旗装，严禁“时俗服装”。所谓“时俗服装”指的就是汉族女子的装扮。

清宫选秀女的标准是品德和门第，首先要是血统纯洁的在旗女子，其次本人要长得端庄，品德淑贤，过于漂亮的“狐媚相”是不可能入选的，怕给皇帝增添了“好色”的名由。其实，所谓的品行很难在短时间内看出，在选秀女的过程中，门第起着更为重要的作用。众所周知，光绪皇帝的皇后隆裕又高又瘦，相貌丑陋，只不过她是慈禧皇太后的侄女，便当上了皇后。

从顺治帝至光绪帝9朝，共选秀女80多次，按后来入葬陵寝的后妃统计，共214人。她们的命运各不相同，有些被指给了皇子皇孙当福晋，走上这条路的秀女们的命运还算是比较好的了，因为毕竟是皇帝指下来的，在府第里总有些地位；如果入宫当嫔妃，命运则是不能预测。

自康熙帝以后，后宫设立八个等级：皇后一名，皇贵妃一名，贵妃两名，妃四名，嫔六名，等级比较低的贵人、常在、答应，名额不加限制。如此之多的嫔妃争夺一个男人，可想而知只有少数人能得到皇帝的宠爱，有些入宫秀女可能蒙受过几次恩泽便被遗忘了，有些甚至可能一生中都没有见过皇帝。

↑清末民初小宫女

当康熙、乾隆等长寿皇帝驾崩时，许多妃嫔正青春年少。更不必说那些短命的皇帝了，例如顺治帝活了24岁，同治帝只活了19岁，他们死时，后妃顶多是20多岁，有的只有十几岁。皇帝一死，没有生育过子嗣的后妃们便要搬出原来居住的东西十二宫，住进专为皇帝遗孀安排的院落——慈宁宫、寿康宫和寿安宫，也就是人们常说的紫禁城里的寡妇院。此后，她们只能在高高的宫墙里，伴着佛堂里的袅袅青烟，度过孤独的下半生了。

滋养在汉文化中的清皇子

清宫 皇子的教育

皇子是下一代储君的人选，在封建时代，皇帝自身的素质往往决定着国运的兴衰与否，因此历代王朝都十分重视皇子的教育，其中清代对皇子教育尤为重视，也更加严格，造就了不少明君。

清入关后，面临着满汉文化冲突的问题，审时度势之下，清室决定采取满汉文化兼收的教育政策。顺治元年（1644），清廷设立翰林院，此后的皇子教育专门由翰林院学士负责。

顺治帝、康熙帝两朝皇帝都是幼年失怙，冲龄登基，而且清室统治尚未稳固，皇子教育处于草创时期，因此他们基本上都要依赖自身苦读，两人都有废寝忘食读书乃至呕血的情况。鉴于此，他们非常重视皇子的教育，顺治帝亲自撰写了《资政要览》一书，作为皇子及贵胄子弟的教科书。然而他还未来得及制定相关的制度，便英年早逝。

康熙帝教子严谨

康熙帝临朝后，对于皇子的教育问题高度重视。在诸多儿子中，他最为疼爱孝诚仁皇后所出的皇太子胤礽。胤礽幼时，康熙帝亲自教导他读书写字，并时时耳提面命，教导他忠义仁孝。康熙二十六年（1687），胤礽年满14岁后出阁读书。康熙帝亲自为他挑选了学问出众、人品端正的大臣达哈塔、汤斌等人为师，并赐名胤礽读书的学堂为“无逸斋”。

胤礽学习刻苦，每日凌晨5时至7时，在老师的指导下读书背书，而且必须背足120遍。上午7时至9时，康熙帝上完早朝，便来到无逸斋，检查胤礽的读书情况，并嘱咐满文师傅和汉文师傅们对皇子严加要求。上午9时至11时，胤礽一丝不苟地伏案练字，满文汉字都要学习。上午11时至下午1时，胤礽和诸位师傅用过午膳后，没有休息，又开始读书背书。下午1时至3时，胤礽用过点心，放下手中的书卷，在庭苑练习弯弓射箭。下午3时至5时，康熙帝又来到无逸斋检查功课。下午5时至7时，胤礽练习射箭，康熙帝在一旁指导示范。功课完毕后放学。每天如此，无论寒暑从不间断。后来，康熙帝的其他皇子稍长一些后，也与胤礽一同在无逸斋学习。除此之外，康熙帝对于诸皇子从学业到为人处事各个方面皆有训诲。雍正帝继位后，将其训诲之言编辑为《圣祖庭训格言》，以训后世。

皇子教育定制

康熙帝教育皇子的方法和态度对后来的皇子教育有很深的影响。雍正帝登基后，为了便于时刻监督皇子的学习，在乾清宫左侧的庑房设置了尚书房（道光帝以后统称为上书房），所谓的堂书房，通俗而言，就是皇家的“子弟学校”。他还亲笔题写了“立身以至诚为本，读书以名理为先”的楹联悬挂在上书房中。

经过几代的发展，皇子的教育体制逐渐固定下来了。清制规定，皇子6岁起进入上书房接受教育，遣派满、汉大学士担任总师傅。每位皇子都配有师傅，人数多少不定，总管教学事务的学士称为“总师傅”。能够在上书房学习的人包括皇子、皇孙等宗室子弟以及谕准的特殊人员。皇子所学的课程包括满、蒙、汉等语言文字和儒家经典，其中有四书、五经、国史、圣训、策问、诗词歌赋以及书画等。

清室是在马上得的天下，因此对皇子的骑射十分重视，特地下谕从满、蒙大员中挑选了谙达（意为伙伴、师傅）教导皇子。谙达分“内谙达”和“外谙达”，内谙达负责教授满文，外谙达则是教导骑射技艺。每位皇子还配有几名“哈哈珠塞”(亦称“哈哈珠子”，意为小伙子)，类同伴读、书童一般的角色。

清朝皇子的教育很严苛，每日凌晨3时至上书房学习，下午5时才能结束，读书时不能随意乱动，每天只能休息一两次，每次不过一刻钟，还须经过师傅允许。课间不得随意喧哗，只能谈论经书史事。皇子每日学习皆是如此，风雨不辍，一年之中只有端午、中秋、万寿节（皇帝生日）等节日才能放假一日。一般情况下，直到皇子15岁成年封爵建府才可以结束课业，但如果封爵的皇子

←景陵隆恩殿

景陵是康熙帝的陵墓，位于河北省遵化市。

↑乾隆帝射猎图

没有朝廷的差使，仍然要到上书房来读书，只不过管束不再如此严格。

皇子虽是天家贵胄，然而师生之礼还是十分注重的，凡是皇子就学，初次见到师傅都要长揖一躬，师傅也要同样还礼，再引皇子向墙上悬挂的孔子画像行礼。逢年过节，师徒礼物往来，只表心意，不送奇珍异玩。而清朝对皇子师傅也很敬重，凡是宴会、赏赐与王公及一品大臣同。有大事召对，皇子师傅列班在军机大臣、大学士之下，尚书之上。

汉文化的熏染

在严格的教育培养下，清朝历代皇帝和皇族都具有较高的素质，精通经史、策论、诗词歌赋与书画等，并善于骑射。雍正帝、 乾隆帝等君王的治国才能有目共睹；嘉庆帝和道光帝在位时，国运虽已走下坡路，不过他们基本上还能守成；咸丰帝、同治帝、光绪帝等人虽然碌碌无为，但也没有出现昏庸残暴之举，皇子教育之制功不可没。

受到汉族上层社会的影响，皇室子弟对文学艺术尤为感兴趣。他们多能诗善文，书法可谓上乘，不少皇子有诗文集存世。其他宗室子弟也大受影响，王公贵族子弟中出现了许多著名文士。然而，对于皇室子弟渐染汉习，以吟诗作画为雅、与汉族文人唱和为荣的风气，清朝统治者也表现出了不安。早在皇太极时期，他便下令严惩效法汉人衣冠、束发裹足者。乾隆年间，仿效汉俗之风愈演愈烈，乾隆帝忧心忡忡，特别降谕训示满人应以满语骑射为主，禁止满汉人员以文字往来。

乾隆三十一年（1766）五月，乾隆帝看到十五阿哥颙琰（即后来的嘉庆帝）手上拿着一把扇子，上面题有诗句，文字清新可喜。询问之下，得知是出自十一阿哥永瑆之手。当乾隆帝看到落款是“兄镜泉”后，十分恼火，训斥诸皇子须务实，不能学汉人的书生气，让浮华虚伪乱了品德。次日，他在乾清宫召见大学士和军机大臣，着重嘱托，还特意举了他身为皇子时的一事为例。他说道："朕即位前，虽然留心诗文，但从来没有取过别号。22岁时，皇考（指雍正帝）问诸皇子有没有别号，朕答没有，于是皇考赐号为'长春居士'。然而朕从不用皇考赐给的别号署款题识。"

乾隆帝指出，如果满人效法书呆子气，沾染汉俗，变更旧俗，勇猛尚武之风不再，必定会危及社稷安定、清室国运。唯有熟谙满文，习弓箭骑马，才是正道。他还命令将这一番话誊写张贴在尚书房，以便时刻提醒皇子警惕。

颙琰诺诺称是，他即位后，也于嘉庆九年（1804）颁布上谕，告诫子孙诗文词章是末流，国语（满文）、骑射是立国立朝的根本，不能"舍其本而务其末"。

尽管历代皇帝屡次下诏禁止皇室子弟以及满人沾染汉习，然而随着满清入主中原日久，崇尚并同化于汉文化已经成为了不可逆转的潮流。从清宫档案留存的满文朱批谕旨当中可以看出，自康熙帝至咸丰帝，他们的满文造诣颇深，召见满族王公大臣时，一律以满语交谈。但是到了清朝后期，由于满文越来越缺乏实用性，皇子们对满文的掌握逐渐生疏，同治帝对满文毫无兴趣，而宣统帝情愿学英文也不愿学满文。

清末，面对江河日下的国运，朝廷忧患重重，自然无暇顾及幼帝的教育。同治帝、光绪帝和宣统帝都是幼龄继位，有好学者如光绪帝，也有贪玩厌学者如同治帝。清末鸿儒翁同龢曾担任过同治帝的师傅，在他的《翁文恭公日记》中，曾记录了同治帝学习的情况，"精神不聚"、"读不甚勤"、"倦于思索"之类的用词经常出现。而后的光绪帝、宣统帝虽读书颇为勤奋，有意重振朝纲，然而大清江山的颓势已定。随着清朝的垮台，皇子教育制度也退出了历史的舞台。

↓故宫文渊阁

位于故宫东华门内的文华殿后，清乾隆三十九年至四十一年（1774～1776）建成，是皇家收藏《四库全书》的图书馆。

传奇侍女

苏麻喇姑的一生

苏麻喇姑是清初历史上的一位特殊人物，作为孝庄太后的陪侍，她历经四朝，曾亲身参与过许多历史事件。她虽身为侍女，却与清室结下了不解之缘，她是康熙帝的启蒙教师，被皇室成员视为至亲，当她以九旬高龄逝世时，整个皇室为之哀痛。

在康熙帝的一生尤其是前半生中，有两个女人对他至关重要，一个是他的祖母孝庄太皇太后；另一个是他的启蒙老师，孝庄太后的侍女苏麻喇姑。

历史上苏麻喇姑确有其人，不过她比康熙帝大了30多岁，两人的感情更不是子虚乌有的姐弟恋，而是深厚的祖孙情。

苏麻喇姑的身世

苏麻喇姑是后人对她的称呼，她原名苏末儿。苏末儿是苏麻喇姑蒙古名的音译，意思是“毛制的长口袋”，也有译为“苏墨尔”。顺治晚期及康熙年间，人们称呼她的满名“苏麻喇”。她逝世后，人们尊称她为苏麻喇姑。她在世的时候，不同的人对她也有不同的称呼。孝庄太后称她为“格格”，即小姐，是对女子的尊称；康熙帝玄烨称她为“额涅”，即额娘、母亲；玄烨的皇子、公主们称她为“妈妈”，满语中即“奶奶”、“祖母”之意，也可用来通称年长的妇人。从皇室成员对苏麻喇姑的称呼中，可见他们对她怀着一种亲人般的感情。

那么苏麻喇姑究竟做了什么事赢得了皇室上上下下的尊重？这要从头说起。苏麻喇姑是蒙古族人，出生于科尔沁部的一个牧民家庭，具体生年不详，但从她作为孝庄太后的陪嫁侍女来推算，她的年龄应当与孝庄差不多。大概是10岁左右，苏麻喇姑被科尔沁贝勒府选中，进府成为贝勒寨桑之女布木布泰的贴身侍女，布木布泰不是别人，正是后来大名鼎鼎的孝庄太后。她口齿伶俐，办事麻利，为人又稳重，很快获得了布木布泰的信任。

后金天命十年(1625)，布木布泰在兄长吴克善的护送下，来到后金都城盛京(今

辽宁沈阳），与皇太极成婚。苏麻喇姑作为布木布泰的贴身侍女，随主人到了盛京，从此登上了属于她的历史舞台。

来到盛京后，苏麻喇姑很快学会了满语和汉语，她的满语和满文书写水平赢得了当时全宫上下的交口称赞。她自小生长在草原上，骑术非凡，常常骑马外出为孝庄办事，是孝庄身边最可靠最信任的侍女。

崇德八年（1643），皇太极驾崩，年仅31岁的孝庄成为了寡妇，而幼子福临才6岁，朝中大权全掌握在摄政王多尔衮的手中。孤儿寡母面临险恶的政治环境。在这种处境下，善解人意的苏麻喇姑始终如一地陪在主人身边，为她排忧解难，并担当起孝庄与外界联系的桥梁。

顺治九年（1652）三月，苏麻喇姑奉命外出办事，却被内大臣纳布库殴打。孝庄愤恨不已，却无能为力，只能托言她是坠马受伤。共患难的境遇使这对主仆的感情更加深厚。

↑貂皮朝服及高腰棉袜

宫中的良师慈母

顺治十二年（1655）天花肆虐，皇室中凡是没有出过天花的成员全到紫禁城外避痘，后来的康熙帝、当时1岁多的玄烨也到宫外的一处宅第避痘。从此直到玄烨出痘痊愈返回皇宫，其间无论刮风下雪，苏麻喇姑每天骑马往返皇宫和玄烨避痘所之间，充当玄烨的启蒙老师，手把手教导他写满文，还教育他为人处事的道理。从某种意义来说，如果没有苏麻喇姑，就没有后来的英主康熙皇帝，也就不会有康乾盛世。

↓康熙帝御用对印

苏麻喇姑终身未嫁，在宫中生活了70

多年。有电视剧说她曾爱上康熙帝的老师——才子伍次友，其实这又是小说家之言，且不说历史上根本没有这个人，就算有这个人，两人也不可能相恋。玄烨7岁左右才回到皇宫，正式受皇子教育，当时苏麻喇姑已经近40岁了。在当时，这个年纪已经可以做祖母了，很难想象苏麻喇姑会像怀春少女一样燃起爱火。

康熙二十六年（1687）十二月，孝庄太皇太后病逝，苏麻喇姑悲痛万分。之后她笃信佛教，将对孝庄的感情全部转移到玄烨身上，每天吃斋念佛，祈求佛祖保佑皇帝长命百岁。

为了替苏麻喇姑排解忧闷，康熙帝将定嫔万琉哈氏所生的皇十二子胤祹交由苏麻喇姑抚养。按清宫惯例，只有嫔以上的后妃才有资格抚养皇子。让苏麻喇姑抚养皇子，表明康熙帝对苏麻喇姑的信任和重视。苏麻喇姑对于康熙帝的安排，自然是非常感激，为了报答皇恩，她将全部精力都倾注到了胤祹身上。胤祹对她也十分孝顺尊敬，称她为“阿扎姑”，“阿扎”即母亲，阿扎姑相当于“母姑”的意思。

↑景陵神宫圣德碑

康熙朝的皇子对帝位争夺非常激烈，数名皇子被杀被废或被圈禁。那么由苏麻喇姑一手带大的皇十二子胤祹又是怎样的一个境遇呢？

胤祹的母亲定嫔身份低下，没有资格和其他皇子争夺帝位，他又自幼受到苏麻喇姑的教诲，因而表现得十分低调。在康熙末年，他深受玄烨的信任，但是一向独来独往，没有结党谋位，也不受其他皇子拉拢，只是专心为皇帝办事。

雍正帝继位后，与他争夺过皇位的兄弟不是被杀就是暴毙。胤祹起初被封为履郡王，后来遭到雍正帝的猜疑，被降为贝子，不久又降为镇国公。因胤祹与世无争，没多久，他再度被封为履郡王。在雍正帝的诸多兄弟中，他的命运算是比较好的。乾隆帝继位后，胤祹被晋封为履亲王。乾隆二十八年（1763），胤祹去世，享年77岁，在玄烨的所有皇子中，他是最长寿的一个，这与苏麻喇姑的抚育教诲不无关系。

高龄离世

苏麻喇姑生平有两大“怪癖”，一是不洗澡。说是不洗澡也不对，她每年除夕会洗一次澡，但是这个澡不是盆浴也不是淋浴，而是取少量的水，简单擦洗一下身体，然后把用过的脏水喝掉。苏麻喇姑的沐浴习惯看起来似乎很怪异，甚至是不卫生。其实这个习惯的养成是跟她的生活背景紧密相关的，苏麻喇姑出生于牧民家庭，草原上的水资源非常珍贵。在草原民族的观念里，水是用来供人和牲畜饮用的，而不是用来浪费的，洗澡便是浪费的一种形式。所以苏麻喇姑洗过澡后，还要向佛祖忏悔，忏悔她“浪费”水了。

除了不洗澡，苏麻喇姑的另一“怪癖”是终身不服药。直到她年老病重的时候仍然拒绝服药。康熙四十四年（1705）八月，90多岁的苏麻喇姑患了重病，腹内疼痛难忍。当时康熙帝正在塞外秋巡。苏麻喇姑的病牵动了在京诸皇子的心，他们赶紧向康熙帝发急奏回报。

听到苏麻喇姑不愿服药的消息后，康熙帝也急了，他下令让苏麻喇姑留在原住处疗养。可按照清宫规定，宫内服役者和下层嫔妃，凡患重病，一律移居他处，以保证不传染给其他人。而且，他吩咐诸皇子将一种名为“西伯噶古纳”的药材混入鸡汤中给苏麻喇姑服用。康熙帝还指示诸位皇子对苏麻喇姑说，这是他送来的一种草根，不是药。

然而苏麻喇姑还是坚持不肯服用，她对皇子们说：“我一生不服药，这个虽然是草根，但也是药。阿哥们把我的话回禀主子，他懂得我的心思。”皇子们怎么劝说她也不肯吃药。苏麻喇姑曾经抚养过的皇十二子胤祹心急如焚，他和福晋衣不解带，日夜守候在苏麻喇姑的病榻前，精心服侍。

同年九月，苏麻喇姑终究抵挡不住衰老和疾病的袭击，心脏停止了跳动。康熙帝得知她的死讯时，大感悲痛，下旨暂不下葬，等他回京见过遗容后再举行葬礼。

皇室举哀

康熙帝回京后，以嫔礼为苏麻喇姑举行了隆重的葬礼。对一位宫中服役者来说，这一规格是超常的。出殡那一天，几乎所有的成年皇子都参加了出殡仪式。

苏麻喇姑灵柩停入殡宫后，皇子们各自回府。皇十二子胤祹悲痛欲绝，久久不愿离去，皇子们苦苦劝慰也无用，直到皇三子胤祉等人以兄长的身份出面才将他领回。胤祹仍然是不能释怀，他提出要求：“阿扎姑自幼将我养育，我未能报答就出了此事，我愿住此驻守数日，百日内供饭，三七诵经。”按照惯例，为宫中服役者办丧事，是没有皇子供饭、诵经的先例的。但是康熙帝深知胤祹的心意，便允许了此事。

于是胤祹住在殡宫，为苏麻喇姑守灵、供饭、诵经，其他皇子轮流陪伴胤祹。直到雍正年间，苏麻喇姑死去20多年后，史书中仍然可见到胤祹拜祭她的记载，从中可看出胤祹对这位不是母亲又胜似母亲的老妇人的爱，也反映出了苏麻喇姑的为人。

不爱红装爱武装

和孝公主 下嫁和府

身为乾隆帝最宠爱的公主，和孝公主是名副其实的天之娇女。在皇宫中，她度过了无忧无虑的少女生涯。出嫁前皇父呵护，出嫁后公婆夫君疼惜，和孝公主可谓享尽人间幸福。然而政治风云变幻莫测，随着夫家的倒台，家产被抄，她也被连累，独靠一人之力撑起和家。

备受宠爱的娇女

乾隆帝共有10个女儿，其中有5个早夭，未及册封，年长的4个女儿成年后相继出嫁，到了晚年，只有最小的女儿和孝公主承欢膝下。

和孝公主生于乾隆四十年（1775）正月，其生母是惇妃汪氏。对于和孝公主的出生，乾隆帝欣喜若狂，自从乾隆三十一年（1766）皇十七子永璘出生以来，后宫便再也没有响起过婴儿的啼声。而且对于已经65岁的乾隆帝而言，皇十女的诞生代表着他仍然具有旺盛的生命力，因此，他对公主宠爱有加。

惇妃性情残忍，生下公主后恃宠而骄，乾隆四十三年（1778）将一个宫女鞭笞致死。乾隆帝大怒，将她降封为嫔，以示惩戒，然而出于对和孝公主的爱护，没多久，又将她复封为妃。

和孝公主之所以得到乾隆帝的钟爱，除了是幼女之外，还因为她长的很像乾隆帝，而且性情刚毅，酷爱身着男装，跟随乾隆帝出巡、打猎，骑射的功夫一点也不比男儿差。清宫中收藏着一幅戎装女子画像，以往被认为是“香妃”容妃的画像，经专家考证，画像中的女子极可能是和孝公主，画像中的公主身穿戎装，英姿勃发。

乾隆帝对和孝公主呵护备至，她还没有出嫁时，便赏赐她金顶轿，宠爱尤胜于其他公主。和孝公主13岁时，被封为固伦公主。按清朝体制，皇后所出之皇女才能被封为固伦公主，妃嫔所出之女与宫中抚养亲王、郡王之女，只能封为和硕公主，和孝公主的母亲是惇妃，却被破例封为固伦公主，可见乾隆帝对其恩宠有加。乾隆帝甚至还曾对和孝公主说过：“如果你是个皇子，我一定会传位给你。”

这并不是不可能，乾隆帝虽然有17个皇子，但皇位继承人并没有太多的选择余地，有13位皇子先他而离开人世。在早逝的皇子中，除了第一位皇后富察氏所生的嫡子永琏、永琮之外，还有他钟爱、欲立为皇储的皇五子永琪，剩下的为数不多且能平安成年的皇子又不能令他满意。倘若惇妃生的是皇子，说不定清朝的历史便会被改写。

和孝公主不仅深受乾隆帝的宠爱，后宫妃子也对这个任性活泼的假小子十分疼爱，她给寂静的后宫生活带来了很多欢笑，出身于回部的容妃更是将她视如己出。容妃去世时，将自己收藏的珍宝财产分给家人和后宫妃嫔、公主，得到遗赠最多的，便是她喜爱的和孝公主。

↓**恭王府花园**

恭王府在北京西城前海西街，占地33 800平方米，原为和珅的宅第，和珅获罪后，宅第入官。咸丰年间，咸丰帝将其赐给六弟恭亲王奕䜣。

门当户对的佳侣

尽管和孝公主再怎么像男孩子也终究只是个公主，女子最好的归宿就是找一个如意郎君。乾隆帝已经老了，他想趁自己还在世的时候，给和孝公主结一门好亲事。什么样的男人才能配得上他最疼爱的小公主？自然是最俊美最能干的男子。

乾隆帝左思右想，首先想到了和珅，然而和珅比和孝公主大了25岁，又是有妻室的人，公主是不可能嫁作妾室的。转念一想，他想起了和珅有个儿子。和珅的长子是正妻冯氏所生，仅比和孝公主小了半个月。和珅有时会将长子带入宫中，那个孩子与和珅长得一样俊美，与公主刚好般配。

乾隆四十五年（1780），乾隆帝将和珅长子赐名为丰绅殷德，丰绅二字是满语，意为福泽，并为年幼的丰绅殷德与和孝公主指婚。乾隆帝与和珅成为了儿女亲家，君臣愈加相得。

每年新春之际，颐和园便会模仿苏州的商业街样式建筑一条买卖街，太监和宫女换上民间的衣服，扮作商贩，皇帝以及后妃皇女会到"商铺"里逛逛，互相讨价还价，享受一番小民的乐趣。

有一年，和孝公主陪乾隆帝逛街，随行的还有和珅。和孝公主看中了一件大红夹衣，撒娇着让乾隆帝买。乾隆帝指着和珅笑言："让你的丈人给你买。"和珅连忙给公主买下。自此，和孝公主便称呼和珅为丈人。

和孝公主13岁时被封为固伦公主后，便开始留发为成婚做准备了。以往下嫁外藩的固伦公主，例支俸银一千两，如果是在京居住，即照下嫁八旗之例支给。但乾隆帝对和孝公主疼爱有加，特地下谕公主下嫁后可例支俸银一千两。

乾隆五十四年（1789）十一月，和孝公主下嫁丰绅殷德。丰绅殷德因而被封为固伦额驸，品级与固山贝子等同，官至都统兼护军统领、内务府大臣。公主大婚时，乾隆帝赏赐了大量财物，嫁妆比皇四女和硕和嘉公主下嫁大臣傅恒之子福隆安时多上若干倍。婚后翌日，宫中又不断赏赐珍宝财物至公主府第，显示了乾隆帝对和孝公主的偏爱。公主归宁时，朝中大官皆奉献财物于公主轿前，即使是年老位尊的大学士阿桂也不例外。

夫家倒台公主遭连累

虽然这是一桩政治婚姻，但和孝公主与丰绅殷德确实是天造地配的一对，两人琴瑟和谐，十分恩爱，经常一同外出打猎。公主虽然是天之娇女，但毫无娇纵之气，对公婆敬爱有礼，十分关心额驸的前途。婚后，有一年冬天，地上积雪甚厚，丰绅殷德玩心顿起，竟玩起了雪。和孝公主看见后，立即责备道："年已逾冠，尚作痴童戏耶？"丰绅殷德见公主生气，连忙长跪请求原谅才作罢。从此他用功上进，深受乾隆帝信任。

丰绅殷德年少轻狂，一度仗着父亲和珅的权势放纵朝野。和孝公主对和珅贪赃枉法的行为有所了解，对他说道："你的父亲承蒙皇父厚爱，却毫无报答，反而专横贪污，我非常替你担心。恐怕将来身家不保，我必会遭你所累。"

果不出所料，嘉庆四年（1799）正月，乾隆帝刚刚去世，嘉庆帝便迫不及待地向和珅开刀。和珅伏法，家产被籍没，朝廷大臣建议剥夺丰绅殷德的爵位。按照封建社会的律法，父亲获罪，牵连到儿子是十分正常的。但嘉庆帝出于对和孝公主的考虑，让他留袭伯爵，并将和家一半家产归还给了公主及额驸。

嘉庆帝对和珅恨之入骨，和珅生前在刘村为自己建造的陵墓，因逾制被嘉庆帝强行拆毁，和珅自尽后竟然一时无墓可葬。在和孝公主的几度恳求下，嘉庆帝开恩允许丰绅殷德及其堂兄丰绅宜绵出城料理丧事。丰绅殷德在刘村另寻新坟，草草将父亲的尸首掩埋，并把母亲冯氏、叔父和琳等人的坟地迁到此地。

和府倒台后，丰绅殷德颇为失落，心中烦闷，以饮酒作乐、纵情声色排解忧愁。对于和孝公主，他心中十分矛盾，是公主的皇父给和府带来了荣华富贵，但也是她的皇兄亲手摧毁了这一切，而且她还因他受累，他该如何面对公主呢？这件事后，丰绅殷德有意无意地避而不见和孝公主。

嘉庆八年（1803），和孝公主府长史

↑**琵琶襟马甲**

长袍外面加罩一件马甲，是满族妇女十分喜爱的装束。

奎福控告丰绅殷德“演习武艺，谋为不轨，并欲害公主，将妾带至坟园于国服内生女各款。”嘉庆帝经过审理后，发现谋害公主之事纯属诬告，不过国服内侍妾生女确有其事，丰绅殷德也供认不讳。按照大清律令，在国丧期内，近支宗室27月内不嫁娶，远支宗室及在京王公百官，期年内不嫁娶。嘉庆帝大怒，削去丰绅殷德爵位，令其闭门思过。

丰绅殷德心灰意冷，开始对道教产生了兴趣，经常和方士之辈探讨养生术。嘉庆十一年（1806），嘉庆帝授予丰绅殷德头等侍卫，擢副都统，赐伯爵衔。不久，将他派遣至乌里雅苏台任职。丰绅殷德在任上秉公执法，颇有政绩。然而在远离京城的边疆之地，他心中挂念京中的公主，加上本身体质羸弱，不久患上了痨病。

嘉庆十五年（1810），应和孝公主的请求，嘉庆帝许可丰绅殷德回京疗养。然而就在当年五月，丰绅殷德病逝，年仅36岁。丰绅殷德与和孝公主曾育有一子，可惜幼子不幸早夭，身后仅留下妾室生下的两个幼女。他死后，和孝公主持家政十余年，内外整肃，得以小康。

道光三年（1823）九月，和孝公主在孤苦冷清中去世，终年49岁。道光帝对皇姑的遭遇深表同情，曾亲临公主陵墓前拜祭。

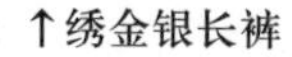

↑**绣金银长裤**

多为相思苦的清代公主

翻阅清代史书可以发现，清代公主的寿命多不长，而且极少有生儿育女者，即使有儿女，也多是额驸的妾室所生，这与公主的养育制度有关。公主出生后，一般由保姆喂乳照料。出嫁后，公主不是住在婆家，而是居住在皇帝赐予的公主府，额驸只能住在府第外舍。公主不宣唤，额驸就不能入内室与公主同床共枕。

然而公主召唤额驸必须经过保姆这一关，每宣一次，公主和额驸必定要花费无数钱财贿赂保姆才能相聚。如果不贿赂，保姆便寻找借口百般阻拦，甚至加以责斥。公主性格柔弱，即使进宫觐见母亲，也不敢述说其中苦事，只能听任保姆摆布，长年与额驸不得一见，以致抑郁而死。

人生大舞台 戏剧小舞台

清宫帝后的"戏迷"生活

在中国古代，上至皇宫帝后，下至平民百姓，都将看戏视为一项重要的娱乐活动。台上演的是帝王将相，唱的是才子佳人，台下看的人是如痴如醉。清代帝后，几乎个个都是戏迷，他们爱看戏，也懂戏，甚至也唱戏。

连台大戏唱不停

清人关后，受汉文化熏染，皇室成员均喜爱观看杂戏。顺治帝喜读《离骚》、《汉乐府》，并令乐者谱之以宫中雅乐。词、曲皆有古风，闻之清新悠扬，故将其定名为"清平调"。

康熙帝也爱看戏，他将教坊司改名为"南府"，隶属内务府，网罗民间著名艺人教习年轻太监和艺人子弟，为宫廷应承演出。他还认真研究过江苏昆曲、江西弋腔与丝竹、曲律之间的关系，并派人下江南寻找弋腔教习。

雍正帝对戏剧也比较喜爱，他当皇子时，康熙帝曾让他询问南府教习有关戏剧的问题。他即位之后，自然也免不了此乐，然而这位性好猜疑的皇帝也干过杖杀优伶的事。据《啸亭杂录》记载，某日雍正帝在观看杂剧《郑儋打子》时，扮演常州刺史郑儋的伶人唱腔出色，受到了他的赞赏。这位伶人一时得意忘形，竟然斗胆询问现任常州刺史为何人。雍正帝闻言大怒，立即下令将此人杖毙。

乾隆帝更是一个戏迷，他继位后，扩大南府规模，下令选征苏州籍艺人进宫当差，名为"外学"，属南府管辖，原宫中习艺太监称为"内学"，乾隆一朝内外学人数在1 000人以上。宫内演戏时，先由南府将演出地点、日期、开戏时间、剧目及主要演员等写成文书进呈皇太后、皇帝御览，皇太后或皇帝点头后才允许开演，有时候皇太后、皇帝也会亲自点戏。乾隆帝个人喜爱昆曲，并且颇通音律，能击节鼓板，编写剧本。据说，他还亲自上台演出过《李三郎羯鼓催花》一戏。

在乾隆帝之前，宫中演的大多是折子戏，从乾隆帝开始，逐渐出现了宫廷大戏。

所谓宫廷大戏，指的是乾隆年间及之后御用词臣编写的整本大戏。这些大戏多取材于历史故事、民间传说或长篇小说，譬如把《目连救母》的故事改编成《劝善金科》；把《三国演义》改编成《鼎峙春秋》；把《西游记》改编成《升平宝笺》等。这些大戏服装道具考究，演出场面宏大，情节生动，剧中穿插佛神道教角色的表演，以渲染热烈吉祥的气氛，深受皇帝赞赏，成为了清宫中常演不衰的保留剧目。

乾隆帝不仅将民间伶人招入宫中演戏，还广建戏台，宫中的戏台十有八九是在乾隆年间兴建的，其中包括紫禁城宁寿宫的畅音阁、圆明园的同乐园戏台、清漪园的听鹂馆戏台、避暑山庄福寿园的清音阁等。一般戏台只有一层，高约七八米，而皇家戏台格外壮观，有不少是3层的，高20多米。戏台上中下三层各有名称，上层叫福台，中层叫禄台，下层叫寿台，上层代表着神仙世界，中层表演道士和尚的活动，下层为人间，台底是地狱。这三层由天井贯通，每层旁边有通道供上下进出。

三层戏台很快适应了宫廷大戏的演出需要，比如演《升平宝笺》中的唐僧去雷音寺取经一幕时，如来和各路神仙同时出现在三层大戏台上，场面异常壮观。表演神仙下凡的场景时，演员扮成神仙坐在竹篮里从福台从天降下，竹篮和绳索装饰成云彩；若是鬼怪上场，便从台底将其升起。

戏台有讲究，看戏人的座位也有讲究，观戏者是皇太后、皇帝以及后妃，所以御座要高于或至少与戏台持平，也必须坐在最前面，前头不能有人阻挡，因为这关系到君臣的名分，不能乱套。戏台的正

↓故宫大戏台

↑四大徽班进京

四大徽班进京被视为京剧诞生的前奏。

对面是皇太后、皇帝御座，被赏听戏者的座位在东西两侧的厢房内，值勤的官员和太监垂手贴墙站立，没有座位。

清宫里的戏曲演出是有固定日期的，一般是每月初一和十五各演一次，后加上初二和十六共演4次。到了清末慈禧太后当政期间，她想什么时候听戏，就什么时候开演了。每逢节日庆典时，宫廷中还会举行规模庞大、排场讲究的演出以示祝贺，不同的节令演出的剧目，其内容与节日的意义大致相符，如上元节演《悬灯预庆》，七夕演《又渡银河》，重阳节演《登高览胜》等。皇帝生日、皇子诞生、皇帝大婚，或皇后、贵妃册封时也会演出相关的戏曲进行庆贺。

国运衰落戏照唱

乾隆年间是戏曲发展的繁荣时期，各个阶层普遍喜爱看戏，王公大臣、文人学士的府邸中演出频繁。嘉庆以后，随着国运下降，时局恶化，宫廷戏曲演出活动开始减少，嘉庆朝南府内外学有800余人，到了道光时期，南府改名为升平署，因国库匮乏，外学被取消，宫中演戏太监也逐渐减至200多人。

尽管如此，帝后对戏曲的痴迷依然不减。咸丰帝在避暑山庄时，下旨将升平署戏班分批召来当差，几乎每两三天就要开演一次，每次的剧目都由他亲自钦点。咸丰帝不仅爱看戏，也爱学戏、演戏，在戏剧方面颇为精通。一次演出，一位老伶人将唱词中的“凭”念作上声，他立即指出应该念为去声。老伶人答称是按着旧曲谱所唱的。咸丰帝告之旧曲谱已经错了，并指出错误的缘故。咸丰帝对戏曲乐此不疲，直到临终前几天，还点看了《连环套》等戏。

同治、光绪两位皇帝对戏曲也情有独钟，同治帝还曾粉墨登场，客串剧中人物。一次演《打灶》，后宫一个妃子演李三嫂，他演灶君，他身穿黑衣，手拿玉笏被李三嫂一边打一边骂，他不以为有失体面，反而以此为乐。

超级大戏迷

在同治、光绪年间，宫廷中的演戏活动恢复了往日的盛况，这不仅是因为同治帝和光绪帝喜好戏曲，更主要是因为慈禧太后是个超级戏迷。慈禧爱听京戏是出了名的，在她把持朝政期间，除了咸丰帝丧期、同治帝丧期以及八国联军入侵北京、逃往西安这几段时期之外，她频频在宫中、中南海和颐和园听戏。为了满足自己的看戏欲望，她下令在颐和园中修建德和园大戏台，这座大戏台完全可以与乾隆帝修建的畅音阁相媲美，戏台宏伟，底部且设有水池，演戏时可喷出水泉。

慈禧太后曾令宁寿宫太监组成“普天同庆科班”，称为本家班，专门为她演戏。为了迎合慈禧的爱好，有些太监苦练剧目，小德张便是其中的一个。他能演武生，也能扮小生，功夫扎实，扮相俊美，深得慈禧的赏识，很快被提升为御前太监。

宫中太监的戏固然唱得好，但听久了总觉得腻烦，为了解闷，慈禧经常将外班宣入宫中。所谓外班，就是京城里的艺人戏班，曾被召入宫的便有四喜班、双奎班、同春班等十几个戏班。有一位名为沈蓉甫的画师曾画过一幅《同光名伶十三绝》的人物画，画中的13人都是同治、光绪年间的著名伶人，其中有梅兰芳的祖父梅巧玲，因为体态丰满，人称胖巧玲，还有老生谭鑫培、武生杨月楼等人。这些伶人都曾被慈禧召入宫中演戏。

慈禧爱看戏，有时兴致一起也会哼两句，甚至穿上戏装自我欣赏一番，即使是受到御史弹劾，也照样是我行我素。她戏看得多，对戏文也了如指掌，但看戏的作风不好，高兴了便会对演员大加赏赐，不高兴了便会借打骂演员出气。演员唱戏时，往往是战战兢兢，深怕一不小心惹怒了慈禧太后，招致呵斥责打。

有一回，小德张为慈禧太后点了一出《双钉记》，当饰演包拯的穆麻子唱到“最毒不过妇人心”时，慈禧大怒，立即停演此戏，下令杖责穆麻子80竹竿子，并逐出宫外。小德张也因选戏、选人不当挨了40大板。诸如此类事件屡屡发生，使得伶人以进宫表演为苦，也有些伶人因机智应变而名声大噪。

慈禧太后对戏曲痴迷，为此花费了大量库银，在国难当头的时局之下确有诟病之处，但客观上对戏曲的发展起了推动作用，她在京剧发展史上的作用应该是值得肯定的。

↓慈禧看戏的座位

当年慈禧太后就是坐在这里观看前方戏台上的表演的。

浮华背后的人间悲剧

清宫太监的命运

在高高的宫墙里，生活着这么一群人，他们既不是男人，也不是女人，注定了一辈子绝后；他们对地位尊贵者奴颜屈膝，对地位低下者残忍无情；他们被视为蝼蚁不如的人，却能以卑贱之躯亲近最高统治者，甚至得以接近权力中心。他们就是太监，一群可怜又可恨的人。

太监是宦官的俗称，又称为寺人、阉人、宦者、内监等，指的是封建社会在宫廷内侍奉皇帝及其家庭成员的男性奴仆。为了保证皇帝对三宫六院众多女性的独占，他们入宫前需要被割去生殖器，称之为“净身”。

清宫太监制度

清入关之前，不置立宦官制度。后金天命六年（1621），努尔哈赤下谕，要求诸王贝勒阉割那些服侍女眷的男性家奴，以免秽乱后院。但当时被阉者人数极少，也没有管理太监的机构和制度。

清朝入关后，承袭明宫旧制，沿用宦官，归内务府管辖。顺治十年（1653），顺治帝下谕建立乾清宫执事、司礼监、御用监、内官监等13个机构，即清初十三衙门，次年撤销内务府，增设尚方司，成十四衙门。

清朝吸取了明朝灭亡的教训，对太监管束严厉。顺治帝曾在交泰殿立下不许太监干政的铁牌。康熙帝即位后，为了避免重蹈明朝宦官专权的覆辙，撤销十三衙门，仍设立内务府管理宫禁事务。康熙十六年（1677），正式设立敬事房，以作专门管理太监之用。康熙朝规定敬事房总管为五品，雍正朝规定总管为四品，乾隆朝又规定太监的官职限定在四品以下，还禁止太监与王公大臣们来往，以防太监干预朝政。

清朝宫廷中太监人数在2 000名左右，人数最多时也不超过3 000人，比明朝的宦官逾万人要少得多。清制规定，太监必须是汉人，少数太监是作为俘虏或罪臣的后代，被充入后宫为奴的，而大多数是从河北的穷苦人家招募的。

河北的青县、河间、大城等地以及今天北京郊区的昌平、平谷、大兴、宛平等地都是集中出太监的地方。穷苦人家生儿育女众多，迫于生计，便将孩子送入宫中当太监，也有人因为羡慕太监有钱有势，故将孩子送入虎口，甚至有些已经结婚生子的男子也自愿净身当太监。

残忍的净身手术

总管内务府下的会计司负责清宫太监的招募工作，其下设两个“牙行”，具体负责招募和实施“净身”手术。施行净身手术的人被称为净身师，俗称刀儿匠。北京城有专门世代相传做净身行当的，最有名的两家是南长街会计司胡同的毕五和地安门外方砖胡同的“小刀刘”。要入宫当太监的人，必须在此“挂档子”（报名），然后经过验看合格才能净身。这两家的家主都是隶属于总管内务府的七品官，每家每季向内务府输送40名太监。

清承明宫旧制，严禁私自净身，违者问斩，然而仍然有一些家境贫苦的人因生活所迫私下净身。乾隆四十八年（1783），直隶安肃县民王二格，因家贫私自将自己11岁的儿子王成净身。乾隆帝亲自审讯，

↓清朝四太监

右起：站海亭（长春宫太监）、刘兴桥（养心殿御前太监）、王凤池（养心殿东夹道二带班）、杨子真（养心殿御前太监）。

了解此案后，于乾隆五十年（1785）传谕除去未经允许、私自净身即问斩的律令，并规定因贫自行净身者，准许投内务府当差，如有他故，内务府大臣再行文询问地方官，不得随意拘禁其家属。

对于想成为太监的人来说，净身手术是最难过的坎儿，也是一道生死关。在净身之前，必须先由净身师和孩子的家长或代理人订立文书，写明自愿净身，生死不论，免得手术出了问题，净身师跟着吃官司。

净身的最好季节是春末夏初，气温适宜，没有蚊虫滋生，可以较好地避免伤口发炎。净身的人要在手术前一天禁食，便于手术后一两天不大便。手术时，净身师用刀将阴茎和阴囊从根部切下，然后用白蜡针插入尿道。

官方负责阉割的牙行因为有一套专供净身用的设备，而且净身师具有丰富的手术经验，所以成功率还是比较高的，但他们要收取大笔的手术费。这笔费用绝大多数人都付不起，净身师倒也"仁慈"，允许立下借据，等孩子入宫当了太监后，再从他领取的"月份"银里克扣。一些人因家贫，便铤而走险，亲自动手为孩子阉割，既没有经验，又没有设备，不知有多少人因此而死。

太监将手术阉割下来的阴茎称为"宝贝"，视如珍宝，想方设法加以妥善保管。一般保管的方式是将其放置在石灰粉盒里，使其干燥，然后用湿布抹干净，浸

↓清朝紫禁城的总管太监

泡于香油中，浸泡透后，装在小木匣里，密封包裹，然后选个黄道吉日，悬挂在自家祠堂或家里的正梁上，寓“高升”之意，象征受阉者在宫廷能“步步高升”。无论如何，太监一定会保存或赎回“宝贝”，以便下葬时一并装入棺材里，如果因故遗失，便做一个陶或瓷的阴茎以陪葬，或者租用其他太监的“宝贝”。他们坚信，如果不这么做，阎王爷就不会收容他们，他们也无脸在阴间见列祖列宗。

做完净身手术后，还要经过检验，检验合格的太监才能进宫。入宫后太监每年都要验一次身，验身房在宫廷外头景山东面的东北角，不仅是宫里的太监，各王府的太监都要来这里验身。如果有验出不合格的，上至内务府的大臣，下至敬事房的总管，都要受到严厉处罚。

严苛的宫中生活

净身对每个太监来说，都是一个挥之不去的噩梦，然而这仅是噩梦的开始，入宫后，等待他们的不是荣华富贵，而是更多的凄凉和惨痛。

太监进宫后，生活条件确实能得到改善。他们初次入宫，便会领到一笔置装费，每月还可以按等级得到相应的月食银和米粮。最高等级的太监每月月食银8两，米8斛（1斛为5斗），月食银合计每年96两，少于四品文官的105两，多于五品文官的80两。一般太监按照服役时间的长短、平时的表现以及所干差使，大致可分为3个等级，最低等级每月月食银2两，米1斛半，而九品文官的俸禄每年才33两。在当时，一亩良田只要七八两银子。太监的收入算是比较可观的，而且逢年过节或主子高兴还可得到数量不等的恩赏银两，有时赏钱甚至远远超过月饷。

但这并不能改变太监凄惨的命运，低等太监常常受到上级太监的剥削，而且宫中订立了许多管理太监的条例，根据情节轻重，会受到不同程度的处罚，减少或停放月食钱粮便是常见的处罚之一。

小太监一入宫，首先要拜老太监做师傅，学习宫里的规矩，说是拜师，实际上就是为老太监做牛做马，好心一点的老太监会指点一二，但一般老太监都是心肠冷硬，对小太监非打即骂。

清宫管理太监的戒律很苛刻，严禁太监干政是清皇室的祖宗家法，凡有触犯，必处以极刑。顺治年间的大太监吴良辅与外官勾结，虽被顺治帝包庇无罪开释，但是康熙帝一继位，便将他绑赴刑场斩首。雍正年间打扫处太监傅国相因向奏事处太监刘裕探听废关开复事，受到严厉的处罚。乾隆年间太监高云从因泄露职官任免档案一事被处斩。道光三年（1823），奏事处五品总管太监曹进喜，因向军机大臣查问各省道府官员名单抄录一事被革职重责。光绪二十二年（1896），储秀宫慈禧太后身边年仅20岁的小太监寇连才因甲午战败上书慈禧，死谏国事，随后以“犯法干政”、“越分擅奏外事”等罪名被押赴菜市口斩首示众，轰动一时。梁启超曾在《戊戌政变记》中为寇连才立传，称其为

"烈宦"。

清代因干政被惩罚的太监毕竟是极少数，太监生活中最常见也最防不胜防的是宫中多如牛毛的清规戒律。清宫针对太监中出现的种种问题，制定了许多"治罪条例"，例如"太监犯赌治罪条例"、"逃走太监分别治罪条例"、"太监和女子自戕自尽分别治罪条例"、"太监偷盗官物治罪条例"、"太监偷钓园院鱼虾治罪条例"等，事无巨细，太监动辄得咎。太监在宫外犯法的，由地方官奏明，按国家法律治罪，在宫内违法乱纪的，轻者由敬事房自行处分，重者还会禀明皇帝，送由内务府审理。

内务府规定了26条太监的行为规范，经过历朝增补达到了50多条，凡是违反者，不是罚薪就是革职降级，甚至会受到杖责、枷号、罚作苦役、流放甚至处死。杖责俗称打板子，是清宫对普通太监最常用的刑法，刑杖、刑板都是用竹子做成的，其中刑杖是1米多长的实心青竹，刑板也是1米多长的竹板。行刑时先将受刑太监按伏在地，臀部翘起，然后1人按头，2人按手，2人按腿，1人行刑，1人报数，受刑太监还要一面挨打一面求饶，否则就会加倍重打。刑毕，受刑太监还要到主子那里谢恩，才算完毕。枷号，就是在脖子上架上一副沉重的木枷，由早至晚，无论坐跪。

如果太监犯刑严重，还会被罚作苦役，主要是发配到瓮山铡草。瓮山即今天的颐和园万寿山，那里曾是关押太监的重要场所。到了清朝的中后期，更多的太监被关在景山或南苑的吴甸。在这里的太监服苦役少则1年，多则5年，甚至更长。乾隆四十九年（1784），在瀛台当差的一个太监，因为母亲病重，告假三天，回家后，母亲病逝。他办完丧事赶回宫中，晚了不到一天，但首领太监已上报作为逃跑处理，于是他被发配到南苑铡草三年。

太监不仅因自身触犯条例受罚，很多时候还会成为主子的替死鬼。戊戌变法失败后，慈禧太后盛怒之下，将服侍光绪皇帝及珍妃的数十名太监处死。

残缺人生

太监不仅遭受了生理上的巨大摧残，也承受着精神上的巨大压力。对于这群生理上有残缺的人，主子们都不把他们当人看。清宫太监的上层还算是比较幸运的，他们生活待遇较高，行动也比较自由，但毕竟只是少数。绝大多数的下层太监地位卑下，生活清苦，他们得老老实实地伺候主子和上层太监，不得有半点反抗。长年累月的苦闷、压抑以及被阉割带来的自卑心理和人们的歧视，使太监心理逐渐变态。他们一方面性格怯懦，疑神疑鬼；一方面又会走向另一个极端，酗酒、赌博、打架，到处寻衅滋事。

太监忍受不了宫中非人的待遇时，常常以逃跑的形式进行反抗。可是他们的逃跑往往很盲目，逃出宫后，才发觉自己没有生活技能，不能适应社会生活，加上自己生理上的显著特征，很容易被人识破，只得又回到宫中。当他们再次忍受不住时，还会再逃跑。清宫记载太监逃跑的档案很多，有个别太监竟然连续逃跑达五六次。当他们对这个世界感到绝望时，还会想到自杀。清朝太监自杀现象层出不穷。也有些太监勇于起来反抗。嘉庆十八年（1813）九月，天理教教众攻打皇宫，太监张太、杨进忠、高广福等人接应。虽然最终失败，这些太监被擒获后也没有表现出什么气节，但是他们敢于跟皇帝较劲的勇气还是值得佩服的。

太监一般是十几岁入宫，当他们为宫廷奉献了一生后，便被毫不留情地清退出宫。清制规定：太监因年老体残或患病不能当差时，经总管太监奏明属实，可以退役出宫为民。有少数太监积攒了大笔财富，出宫后仍可富裕度日。然而绝大多数太监却处境凄惨，他们受到歧视侮辱，被骂为“老宫”，不男不女，亲戚朋友都不愿理睬。更惨的是有些太监无家可归，又毫无谋生能力，只得靠着宫中几十年拼命积攒的一点小钱拜寺庙中的方丈、主持为师，或买点土地交给寺庙，靠寺庙的香火钱和自己经营土地的一点收获维持生计，死后就地埋葬。北京城郊的恩济庄、立马关帝庙、玄真观等地，都是清宫太监出宫后居住的地方，至今仍然保留着太监生活过的遗迹和坟茔。

↓隆裕皇太后和太监的合影

隆裕皇太后是光绪帝的皇后，慈禧太后的侄女，生于1868年，卒于1913年。

一缕香魂无断绝

香妃之谜

一位来自西域的绝代佳人，在清代后宫中绽露出独特的风华。她扑朔迷离的身世、身上的异香、离奇的死亡以及死后的葬所都成为了一个个谜团。她的美貌，她的故事，为人们世代传颂。香妃，一个美丽的名字，揭开历史的迷雾，探寻她背后的故事。

香妃的传说

香妃是清宫后妃中知名度最高的妃子之一，关于香妃的传说，野史记载甚多。有人说她是回部的王妃，容貌绝代，且生来体带异香，乾隆年间平定回部大小和卓叛乱时，被掳入皇宫。乾隆帝惊为天人，册封她为香妃，对其宠爱非常。为了排解她的思乡之愁，乾隆帝特地建了宝月楼，还在宫里修建回疆的街道建筑。然而香妃心怀故国，矢志守节，她随身携带利刃，不允许乾隆帝亲近她。

乾隆帝的生母孝圣宪皇太后知道后，怕香妃假借保全贞洁刺杀皇帝，召她入宫。趁乾隆帝不在时，赐她一段白绫自尽。乾隆帝闻讯赶来，佳人已香消玉殒，他悲痛欲绝，将香妃葬于陶然亭北，冢旁立有一碑，上刻着："浩浩愁，茫茫劫。短歌终，明月缺。郁郁佳城，中有碧血。碧亦有时尽，血亦有时灭。一缕香魂无断绝，是耶非耶？化为蝴蝶。"后人称之为"香冢"。

清代的回部指的是今居住在天山南部的维吾尔族。乾隆帝的后妃中确实有一名来自回部的妃子，即容妃，她就是后来故事传说中香妃的原型。史学界曾经对香妃和容妃是否是同一人有过激烈的争论，经过史料考证，目前基本上已经达成了共识，容妃即香妃。她们都是新疆的维吾尔族，都信奉伊斯兰教，封号都是"妃"，而且在乾隆帝的后宫中只有一位回部妃子，容妃是香妃确定无疑。

那么，历史上的"香妃"容妃究竟是一位怎样的女子？她是否是被乾隆帝掳入宫中？身上可否带有异香？她是不是因得罪孝圣宪皇太后而死？她来自何方又葬于何处？

来自回部的后妃

容妃生于雍正十二年（1734），其名不可考，有人说她叫作伊帕尔罕，在维吾尔族语中即“香”之意，然而只是猜测，无从证实。容妃是新疆秉持回教始祖派噶木巴尔的后裔，世居叶尔羌，其族名为和卓，故名为和卓氏。因音译的不同，也被称为霍卓氏，她的父亲阿里和卓是回部台吉，她的兄长名为图尔都。

乾隆二十年（1755），清政府派兵平定了准噶尔叛乱，解救了因反对准噶尔而被囚禁的回部首领玛罕木特之子布拉尼敦和霍集占（即大小和卓）。然而两人不但不感激，反而聚众叛乱。图尔都不愿屈从于大小和卓，举族迁往伊犁。

乾隆二十二年（1757），清军征讨大小和卓，容妃的家族协助清军，为平息叛乱立下大功。清政府为了表彰图尔都等人的战功，将他们调往京城，赐地封爵，并建造了回子营，供他们居住。

乾隆二十五年（1760），容妃入宫，初封为和贵人，此时她已是27岁。她入宫的年龄如此之大，不禁让人怀疑她之前是否有过婚姻，毕竟这个年龄已经远远超出了当时女子的普遍嫁龄。当然也不能以此推断她就是嫁过人，清代历史上大龄才出嫁的女子并不是没有，叶赫老女东哥便是最好的例子。野史声称容妃是小和卓之妻，其实容妃和大小和卓是近亲关系，不可能有成婚一事的。

容妃入宫无疑是一桩政治联姻，是乾隆帝为了拉拢回部上层贵族，加强对各民族统治的手段之一。然而她的美丽却获得了乾隆帝的宠爱。关于她的容貌，目前了解的并不多。有人说她身带异香。据现代医学研究，体香是人体内部分泌物挥发的结果，与人体遗传基因和饮食习惯都有着密切的关系。容妃是否有体香无从推论，不过可以肯

↓裕陵隆恩殿

裕陵是乾隆帝的陵寝，裕陵地宫内葬有两位皇后、三位贵妃，共六人。

定的是，她确实是容貌过人，从她的封号“容”便可看出。

目前有几幅疑为容妃的画像，一是容妃戎装像，二是旗装像，三是洋装像，四是太仓陆夫人在东陵容妃园寝根据遗像拍摄的吉服像，五是《威弧获鹿》行猎像。戎装像经过专家考证认为，更有可能是乾隆帝的皇十女和孝公主；吉服像虽然有很强的可信度，可惜已下落不明；洋装像没有款识，也没有相关记载，说是容妃像也只是猜测；旗装像是流传最广、也是人们接受度最高的容妃像，但对于此画中人物是否是容妃，史学界仍是说法不一。《威弧获鹿》行猎像中描绘了乾隆帝弯弓射鹿、后面马上的一个回装女子倾身递矢的场景。女子的相貌、服饰表明了她是维吾尔族女子。史书记载容妃曾多次陪伴皇帝出猎，因此，画中的女子极有可能就是容妃。画像中的容妃脸庞白净、细眉深目，颧骨微高，是一副典型的维吾尔族美女形象。

乾隆帝对容妃是比较恩宠的，考虑到容妃来自新疆，语言不通，饮食习惯也不与宫中后妃相同，他特地将她安置在宫城边的宝月楼。容妃登楼，便可以看见城外的清真寺和回子营，以解思乡之情。乾隆帝不仅允许容妃保留自己的信仰，为了照顾她的饮食习惯，还给她配备了回族厨师。

乾隆二十七年（1760），容妃从和贵人晋封为容嫔。次日，她的兄长图尔都被晋封为辅国公，显示了乾隆帝对容妃一家的厚爱和重视。

容妃在宫中的地位逐步得到提升，乾隆三十三年（1768），她被封为容妃，在此之前，她在宫中穿的都是本民族服装，所以在封妃前夕，专有行文为其制作冠服。容妃曾七度随乾隆帝到热河行围，亲自骑马参加射猎，英姿飒爽的她愈加受到皇帝的喜爱，她还随乾隆帝两次东巡、一次南巡。容妃的家人也时不时受到宫中的嘉赏。

乾隆五十三年（1788）四月十九日，容妃病逝，享年55岁。临终之前，她将自己在宫中积攒下来的财物分赠给了后宫的妃嫔、公主和家人。

容妃的去世是正常死亡，野史上说是被乾隆帝的生母孝圣宪太后赐死，纯属无稽之谈。孝圣宪太后于乾隆四十二年（1777）去世，比容妃早去世11年，一个早已死去的人怎么可能赐死活人呢？

容妃身后事

容妃去世后葬于何处？在人们的传统说法中，有三处地方被认为是容妃的墓地，它们分别是北京陶然亭北、新疆喀什和河北遵化清东陵。

北京陶然亭北的香妃墓与野史传说联系在一起，纯粹是无中生有的产物。因为此墓碑文凄凉绝美，墓主人应该是个女子，并且在生前或许有过一段恩怨缠绵的故事。于是便有人将墓主人与容妃联系起来，而且生出香妃化蝶的种种传说。

新疆的香妃墓位于喀什市东郊的浩罕村，这是一处家族墓地，始建于明崇祯十三年（1640），是容妃的外祖父阿帕霍加为埋葬他的父亲、伊斯兰著名阿訇玉素甫霍加所建。人们习惯称之为和卓墓。相传容妃死后，乾隆帝派一支66 666人的送葬队伍将容妃的遗体送回家乡，途中棺木不准落地。当棺木送到喀什时，送葬队伍只剩下六人。此家族墓地起初并无“香妃墓”之称，后来才慢慢地有了香妃葬身此地的说法，但无人可以指出哪座墓地是香妃的。随着香妃的名气越来越大，“香妃墓”越叫越响，香妃墓的具体位置才被明确下来。更有甚者，将据说是当年运送容妃遗体的驮轿陈列出来，以证明容妃就葬在此处。其实根据文献记载，驮轿是咸丰六年（1856）运送一个死于北京的男子遗体用的，与容妃毫无关系。

那么容妃究竟葬在哪里呢？实际上史料记载得很明确，她葬在了遵化乾隆帝裕陵妃园寝。1979年10月，清东陵文物保管所对裕陵妃园寝进行了全面整修，因为自然损毁和盗墓，容妃地宫已经有部分塌毁，文物保管所进行了紧急挖掘。在清理容妃地宫时，考古人员发现容妃的椁上写着阿拉伯文经文。一般而言，皇帝后妃死后，椁的四面多镌刻或书写藏文或梵文经咒。容妃用的却是阿拉伯文，从中可见乾隆帝对容妃伊斯兰教信仰的尊重。人们还发现容妃的棺木有椁无棺。根据清朝葬制，无论是皇帝、皇后，还是妃嫔，其棺木皆为内外两重，内为棺，外为椁。从现场的种种痕迹来看，内棺不是被盗，而是容妃入殓时，根本就没用内棺。至于容妃为什么只用椁，不用棺，有可能与她的宗教信仰有关，但具体情况如何，尚待专家学者们做进一步研究考证。

↓新疆喀什香妃墓

位于喀什市东郊5公里处的浩罕村，是一座典型的伊斯兰教式的古建筑。

肆虐在清宫的天花病毒

天花遗祸

对于清皇室而言，天花是一个挥之不去的噩梦。紫禁城的高墙，森严的宫禁，抵挡得住箭矢火炮，却阻挡不了天花的肆虐横行。清入关后，共有10位皇帝，其中顺治帝、同治帝直接死于天花，康熙帝和咸丰帝虽然侥幸从天花的魔掌中抢回性命，脸上却留下永久的麻子。

天花的阴影

天花，中医名为痘疮，曾经是在世界上广泛流行的恶性传染病。现在天花已经绝迹了，但是有清一代，天花猖獗可怕，给清皇室笼罩上了一层沉重的阴影。

清入关前，生活在白山黑水之地，人稀地广，天气寒冷，虽然当时天花已经流行，但是寒冷有效地阻断了天花的大规模爆发。入关后，北京气候温暖，易于引发传染病，再加上北方正处于天花爆发的高峰期，痘疫横行，夺取了成千上万人的性命。八旗官兵也遭到了天花的威胁，许多人没有死在沙场，却死在天花的袭击下。

顺治元年（1644），清军入关，在此之前，肃亲王豪格曾心惊胆战地对人说："我没有出过痘，此次令我出征，岂不是要致我于死地？"豫亲王多铎骁勇善战，制造过骇人听闻的扬州十日屠杀事件，然而这样一位沙场猛将，却于顺治六年（1649）死于天花，年仅36岁。

皇族接二连三有人因患天花死去，这使顺治帝极为惶恐。为了躲避天花，他长期不上朝议政，并且连续6年没有接见蒙古王公。他觉得宫里还不安全，经常出宫避痘。顺治八年（1651）冬，京城天花大爆发，顺治帝带着太后和皇后以行猎的名义躲避到遵化一带的山中。

早在入关之前，努尔哈赤已经颁布了相关的民间防痘条令，各旗设有专门的"查痘者"，一旦发现出痘者，立即将其隔离，对那些不及时报告疫情或者擅自掩埋天花死者的人，要追究责任，甚至以死论罪。入关后，清廷规定，凡是民间有出痘者，立即迁出城外四十里进行隔离。户籍管理制度上还将居民分为"熟身"和"生身"，熟身是指出过天花的人，生身即没有出过天花的人，一旦发现疫情，生身皆不准留于城中。

尽管防疫条令多如牛毛，顺治帝也频频出宫避痘，但他还是防不胜防，仍然逃脱不了天花的魔掌。顺治十八年（1661），他死于天花。

康熙帝之所以能登上皇位，完全是因为他出过痘，有了免疫能力。对于天花的可怕，这位幸运地从天花的魔掌中逃脱的君王深有体会。康熙帝刚出生没多久便被抱出宫避痘，长期得不到父母的关爱，幼年时宫中对天花闻之色变的场景给他留下了深刻的印象。

神秘的皇子种痘制

康熙帝很早就意识到了天花对大清的威胁，在他积极的倡导推动下，清朝防治天花的措施逐渐系统化、制度化。他专门在太医院下设痘诊科，并且广征名医，集中研究天花的预治。

此时，南方传统种痘方法传到了北方，这种民间种痘法又称为吹鼻种痘法，起源于明朝隆庆年间（16世纪下半叶），分旱苗法和水苗法。旱苗法是把天花患者的痘痂取下磨成细末，加冰片、樟脑吹入种痘者鼻中；水苗法则是把患者痘痂用人奶或水稀释，植入种痘者鼻中。这两种方法都是使种痘者轻微染上天花，经过精心护理，病症消失后，等于患过一次天花，从此便有了免疫力。

康熙帝首先在宫中推行种痘法，康熙十七年（1678），皇太子胤礽出痘，康熙帝为了亲自护理皇太子，连续12天没有批阅奏章。皇太子出痘期间，候选知县傅为格照料有功，被提升为武昌通判，后因其种痘有方，被召入宫中，专门负责皇子们的种痘防疫。从此，皇子种痘作为制度正式确立下来

皇子种痘一般在2岁至4岁间，多采用水苗法，时间选择在春秋两季，天高气爽，便于护理。皇子种痘的程序十分神秘

↓晚年康熙帝画像

复杂，首先要按皇子的生辰八字排算好吉日，然后设置一个全封闭的种痘房，4名御医轮流看护。皇子被置于秘室中，为了避光，四周都用黑、红两色毡子围住。此外，种痘房外面还设有佛堂，供奉痘疹娘娘、眼光娘娘、痘儿哥哥、药王、药圣、城隍、土地等，以祈求诸神保佑。皇子种痘成功后，还会举行盛大的“送圣”仪式。

康熙帝不仅在宫中还在八旗乃至蒙古子弟中推广种痘法，大大降低了天花对人们的危害。不过此后，宫中仍然不时传出天花的消息。乾隆十二年（1747），乾隆帝的皇七子永琮因出痘不治身亡，年仅2岁。咸丰帝也受过天花的袭击，脸上留下了永久性的疤痕，如此说来，种痘法不是绝对有效的，也有可能在嘉庆以后，皇子种痘制度形同虚设。从清宫档案的保存情况来看，乾隆以后的皇帝种痘档案无一可见，如果不是佚失，那么便很有可能是嘉庆以后，宫中皇子种痘制度逐渐不再执行。

无论是哪种情况，都给后来的皇子带来了隐忧，咸丰帝算是比较幸运的，而他唯一的儿子同治帝就没有那么幸运了。同治十三年（1874）十二月初五日，同治帝崩于皇宫养心殿。

同治帝是死于天花吗

同治帝的死引起了朝野的种种猜测，主要有两种说法，第一种是死于梅毒或疥疮说。持此说的人认为，同治帝的婚姻生活受到慈禧太后的干涉，他不愿亲近不喜欢的妃子，又不敢违背母命与皇后亲近，便独宿于乾清宫。少年人欲火旺盛，在侍从的引诱下，常常和贝勒载澄出宫寻欢，又怕被臣子撞见，便寻觅私娼作乐，染上了难以启齿的病。他刚刚病发时还没有察觉，当脸上、背上出现疱疹时，始知不妙，传来御医治疗。御医一看大惊失色，知道是梅毒病发，但不敢声张，反而向慈禧太后请示是何症。慈禧传旨曰恐怕是天花。太医院遂以治疗天花的方法为皇帝治疗。药不对头，怎么可能起到效果？同治帝病情愈重，他愤怒道：“我非患有天花，为何当作天花来治？”御医答道是太后的旨意。同治帝不言，心中忿恨而死。在他临死前

↓景陵

几天，他的身体已经被梅毒侵袭得不成样子了，下体、腰间溃烂，露出大洞，臭不可闻。

另一种说法是同治帝死于天花，这主要是根据官方记载和帝师翁同龢的日记。翁同龢的日记记载："同治于十月二十一日，西苑着凉，今日（三十日）发疹"。十一月初二日，"闻传蟒袍补褂，圣躬有天花之喜"。又记载："昨日治疹，申刻，始定天花也。"初九日，召见御前大臣时，"气色皆盛，头面皆灌浆泡饱满"。上谕云："朕于本月遇有天花之喜。"宫中还举行了驱痘祈福仪式，挂满了红联，太监无品级者都穿上红衣，还在养心殿中供奉痘神娘娘，为皇帝祈福。

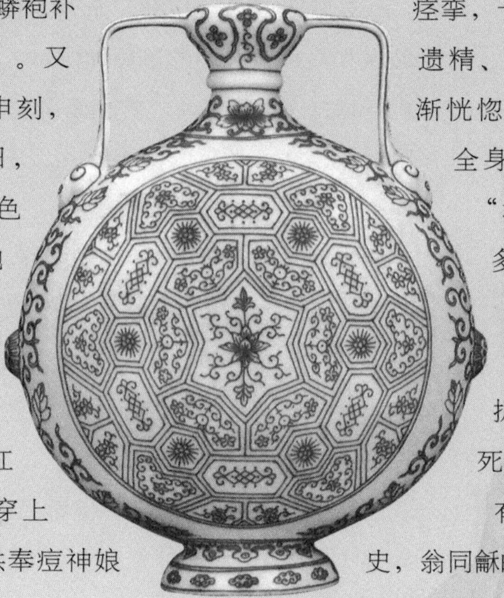

↑清·釉里红加胭脂红扁瓶

同治帝究竟死于何病？官方说法和民间说法哪个才是真相？近年来，人们在清宫留存的档案中发现了《万岁爷进药用药底簿》，上面比较详细地记录了自同治十三年十月三十日下午同治帝得病，召御医入宫请脉，直至十二月初五夜同治帝病死，前后37天的脉案、所开药方以及服药情况。

根据脉案记载，同治帝得的确实是天花，他的病来势汹汹，但经过御医的调理，十一月初七日，病情逐渐好转，由险化平。然而同治帝的病情并没有似御医原先设想的那般乐观，经过几天的折磨后，他的身体已经是衰弱不堪，十一月初八那天又感染了风寒，咳嗽鼻塞，抵抗力大幅度下降，许多并发症竞相发生，侵蚀他的内脏器官。

同治帝的病情每况愈下，湿毒乘虚流聚，腰间红肿溃破，浸流脓水，腿痛痉挛，十一月十六日，出现了遗精、尿血的症状，心神日渐恍惚不安。此后，痘毒在全身大规模爆发，引起了"坏疽性口炎"，身体多处溃烂，牙涨面肿，神经系统遭到破坏，痛痒不知。在病魔的折磨中，同治帝悲惨地死去。

有关同治帝的天花病史，翁同龢的日记中也有记载，学者们将脉案与翁同龢日记的记述进行了核对，两者所记的病情诊断、开方用药基本一致，翁同龢还将当时在一些大臣、太监那里的所见所闻记下来，前后一致记录了天花的病情发展，从中根本看不出有隐讳、影射梅毒或其他难言之病症。同治帝病中曾召见了恭亲王奕䜣、惇亲王奕誴以及李鸿章等人，在他们的奏折或著述中也没有见到有关皇帝患梅毒或疥疮的说法。

为慎重起见，学者们还特地请教了医学专家、教授，他们对脉案进行了详细的审阅研究后，断定同治帝死于天花无疑。

孤井空留恨

珍妃坠井真相

后宫是戒律最森严的地方，妃嫔不得出宫门一步，她们只是皇室传宗接代的工具，不能有自己的意志和个性。但在清朝末年却出现了一位离经叛道的妃子——珍妃，她打破了深宫中的死气沉沉，但也给自己带来了杀身之祸。

光绪帝载湉4岁登基，到了光绪十四年（1888），他已经18岁了，慈禧太后再也没有理由推迟皇帝的婚姻大事。很快，八旗开展了选秀活动，这次选秀的目的是确定光绪帝的皇后以及妃嫔。其实关于皇后的人选，慈禧太后心中早有了决定，那就是她的侄女、桂祥之女叶赫那拉氏。

珍妃入宫

光绪十四年（1888）十月，慈禧太后和光绪帝在紫禁城保和殿确定最终的皇后和妃嫔人选。应召入宫的秀女们排行成一列，共5人，首列是都统桂祥之女叶赫那拉氏，次为江西巡抚德馨的两个女儿，末列是礼部左侍郎长叙的两个女儿。

当时慈禧坐于上位，光绪帝站立在一边，荣寿固伦公主（恭亲王奕䜣之女）及福晋命妇站在御座后，前面陈设着一张小长桌，上面放置一柄镶玉如意，两对红绣花荷包，这是定选证物。清例选中为皇后的，即将如意递出，选中为妃子的，则递出荷包。

慈禧已有合意人选，但她不愿背上干涉皇帝婚事的恶名，便指着秀女对光绪帝说道：“皇帝谁堪中选，汝自裁之，合意者即授以如意可也。”光绪帝自幼听从慈禧的话，回答道：“此大事当由皇爸爸主之，子臣不能自主。”慈禧坚决让他自己选择。

光绪帝手持玉如意，走到德馨的两个女儿面前，刚刚要递出。慈禧便大声道：“皇帝！”并以嘴暗示位于首列的桂祥之女叶赫那拉氏。光绪帝愕然，随即领悟了她的意思，不得已将玉如意递给了叶赫那拉氏。慈禧认为光绪帝喜欢德馨的女儿，一旦选入宫中，必与自己的侄女争宠，便不容许他继续选下去，匆匆命荣寿公主将荷包递给长叙的两个女儿，即瑾妃和珍妃。

同年十月初五，慈禧发出了两道懿旨，一道立桂祥之女叶赫那拉氏为皇后，另一道册封长叙二女为瑾嫔和珍嫔。光绪十五年（1889）正月二十五日，在皇后册立礼的前一天，瑾嫔、珍嫔被迎入宫，分别住进永和宫和景仁宫。

珍嫔，他他拉氏，户部右侍郎长叙之女，生于光绪二年（1876）。入宫时，她才14岁。珍嫔肤色白皙，面容秀丽，而且性格开朗，聪明伶俐。珍嫔给久居深宫的光绪帝带来了清新的气息，他在珍嫔身上看到了自己渴望脱离束缚的一面。光绪二十年（1894）十月，慈禧六十大寿，瑾、珍嫔分别晋封为瑾妃、珍妃。

↑珍妃像
珍妃（1876～1900），清末满洲镶红旗人。

珍妃与慈禧的关系

野史小说都说慈禧太后厌恶珍妃，实际上在进宫之初，慈禧是很喜欢珍妃的。珍妃漂亮聪明，慈禧在她身上看到了自己年轻时的影子。慈禧知道她喜欢画画，便令宫廷女画师缪嘉蕙教之，有进贡的稀罕之物，也必赏赐给她一份。

但是经过一系列的事情后，慈禧对珍妃逐渐产生了反感，这主要是珍妃叛逆的性格所致。慈禧个性守旧古板，在她看来，珍妃的行为简直是不守妇道。

清朝末年，照相术已经传入中国，却被因循守旧的顽固人物视为“西洋淫巧之物”，甚至有人认为照相能摄去人的魂魄。珍妃对外界事物接触比较多，好奇心强，便托人买来照相机。不仅在景仁宫，还在皇帝居住的养心殿以及其他地方，穿上各式各样的时装、不拘姿势地照相。她穿的服装在当时来说算是比较失体面的，这让慈禧很看不惯，而且那时的慈禧还没有认识到照相机的作用，因此反对在宫中使用。珍妃不顾她的反对，公然在宫中照相，于是惹怒了慈禧。据说珍妃不仅给自己和别人照相，还暗中让一个姓戴的太监在东华门外开设了一个照相馆。此事被慈禧得知后，照相馆被查封，戴姓太监也被杖毙。

此外，珍妃还喜爱女扮男装，穿戴男子的冠服与光绪帝嬉戏，甚至还穿上皇帝的龙袍。慈禧听闻后大怒，以为不成体统，教训了她一顿，但此时尚无杀她之心。

↑储秀宫前的铜龙、铜鹿

(1895）十月，慈禧才恢复了珍妃、瑾妃的封号。

珍妃虽然屡遭打击，但是在朝政上，她仍然坚决站在光绪帝一边，支持光绪帝变法，她的胞兄志锐和老师文廷式，也是帝党的一员。慈禧于是将珍妃归入怂恿光绪帝叛逆的人中，对其恶感更甚。

珍妃真正触怒慈禧的是她的干政。她通过光绪帝提拔兄长志锐为礼部侍郎，并破格提拔自己的老师文廷式为翰林院侍读学士。清朝晚期，卖官鬻爵已成了公开的秘密，珍妃手头紧张，见慈禧巧立名目、大肆卖官，心中羡慕，也欲效仿之。光绪帝宠爱她，对她的话唯命是从，结果事情败露。慈禧得知后，厌恶之感顿生，再加上备受冷落的皇后在旁哭诉独守空闺之苦，于是慈禧决定严惩珍妃。

光绪二十年（1894）十月二十九日，慈禧太后下发了一道懿旨，以“近来习尚浮华，屡有乞请之事”的罪名将瑾妃、珍妃降为贵人。此后，还连降两道懿旨，一道命皇后严加管理后宫，另一道让瑾妃、珍妃谨言慎行，改过自新。慈禧特地下令将这两道懿旨制作成禁牌，挂在内廷，以儆效尤。慈禧主要打击的是珍妃，瑾妃因为受了妹妹的连累，也被降级。光绪帝再三求情也无济于事。直到光绪二十一年

魂断孤井

光绪二十四年（1898），戊戌变法失败，光绪帝被幽禁于西苑瀛台。珍妃也因干政被拘禁于紫禁城中的北三所，两名宫女日夜轮流看守，门从外面锁上，饮食从门下送入。珍妃原来所居的景仁宫被封，她位下的太监也受到牵连，不是被处死，便是被罚作苦役或驱逐。慈禧还谕令所有太监，不准为珍妃传递信息，如果查出，就地正法，绝不姑息。从此，这一对彼此相爱的眷侣遥遥相望，不得相见。珍妃直到死，也未能再见光绪帝一面。

光绪二十六年（1900）七月，八国联军侵入北京，慈禧太后携光绪帝、皇后、瑾妃等逃往西安，珍妃却没有在随行之列，在出逃之前，她坠井而死。关于珍妃的死，民间有种种说法。

有人说珍妃是自己跳井而死的，慈禧西逃前，因为不能带太多人，所以让珍妃回娘家避祸。可珍妃不识大体，死活要跟随。慈禧一怒之下便让她去死。没想到珍

妃倔强，说死马上就跳井死了，旁人拦也拦不住。这是慈禧的后人说的，但是这一说法难免有为长者讳的意味，既然不能带太多人，命珍妃回家避祸，那么让珍妃的姐姐瑾妃随行又是何道理呢?

慈禧出逃前夕，已经有了将珍妃置于死地的念头。有人说珍妃进言请光绪帝留在北京，主持议和。慈禧一怒之下命崔玉贵将其推入乐寿堂后的井中。也有人说珍妃并未说过让光绪帝留京的话，是慈禧以不能任洋人侮辱为由将其害死。珍妃不愿意死，慈禧便命令崔玉贵将她强行推下井，这口井后来被称为“珍妃井”。

光绪二十七年（1901）春，议和成功，远在西安的慈禧派崔玉贵回京探听消息，并命内务府打捞珍妃的遗体。珍妃的遗体在井中泡了一年多，已经膨胀变形了，再加上井口又小，打捞了很久才被打捞上来，内务府置办棺材，将其遗体装殓入棺，简单潦草地葬于阜成门外恩济庄的宫女墓地。

同年十一月二十九日，慈禧从西安回到北京。次日，发布了一道懿旨，将珍妃的死说成是“仓猝之中，扈从不及”，节烈可嘉，并追封她为贵妃。珍妃的姐姐瑾妃怀念她，在珍妃井附近设置了一个小灵堂，神龛供奉着珍妃的神位，神龛横额上亲书“精卫通诚”4个大字，以颂扬珍妃对光绪帝的一片真情。

民国二年(1913)，在瑾妃（时为端康皇太妃）的要求下，宣统帝溥仪将珍妃迁葬光绪帝景陵妃嫔园寝。1921年，溥仪以珍妃“温恭夙著”，追谥为“恪顺皇贵妃”。

↓故宫珍妃井

1900年，八国联军侵占北京，慈禧太后携光绪帝逃离京城时，令太监将珍妃推入井内溺死，故此井被称为“珍妃井”。

万寿寺里的“观世音”

“老佛爷”称呼揭秘

在慈禧太后的一生中，人们对她有许多称呼。家人以闺名称呼她，玉牒则以“叶赫那拉氏惠征之女”记载她。随着地位的不断提高，人们对她的称呼也有所变化，其中最为人们所熟知的是“慈禧”和“老佛爷”这两个与她的统治生涯紧密联系在一起的称呼。

慈禧和观世音

自从慈禧太后垂帘听政以来，宫廷中便多以“老佛爷”称呼她。有人认为“老佛爷”是一小部分太监和内务府满籍官员背地对慈禧太后的称呼，当面是绝对不敢如此称呼的。但是从清末宫女、太监的回忆录中可看出，宫中太监确实可以当面称慈禧为“老佛爷”，而且慈禧颇为受用。至于这个名号是怎么来的，有几种不同的说法。

慈禧太后每年有大半时间在颐和园居住，每当春末夏初，她便会从紫禁城走水路前往颐和园避暑，沿长河而下，途中在万寿寺停歇，再前往颐和园，直到秋末冬初才回宫。李莲英待在宫中甚久，自然熟知这个行程规律。为了讨好慈禧，他悄悄命人在万寿寺大雄宝殿的背后建了一尊佛像。

一年，当慈禧循旧例前往颐和园，在万寿寺码头上岸停歇时，李莲英恭恭敬敬地禀告慈禧：“奴才听闻大雄宝殿有双佛显光，是吉祥之兆，想必是太后的福泽所致，奴才恳请太后驾临观看。”

慈禧听了觉得惊奇，进了大雄宝殿，见供奉的仍然是原先的三世佛，不由皱了眉头，“哪来的双佛显光？”太后发怒，底下人是要掉脑袋的，旁边的宫女太监脸色都吓白了。李莲英却是不慌不急地说道：“太后

↑慈禧太后大寿时赐“八仙寿字”刺绣给泰山

息怒，奴才请太后移步殿后。”

慈禧太后到了后殿，果然见到一尊观音像立于殿中，观音的面目竟然与她无异。殿内还站立着万寿寺主持和文武百官。此时，李莲英喊道：“老佛爷到！”其他人立即跪伏高呼：“恭迎老佛爷！”

慈禧太后心知肚明，却故作不解道：“你们迎的是哪尊佛爷？”李莲英连忙答道：“迎的是太后您这位老佛爷啊，您是救苦救难的观世音菩萨降世，来拯救万民于水火之中的。”又说了一通肉麻的话，说得慈禧心花怒放。从此，宫中便称呼慈禧太后为“老佛爷”。

↑慈禧泛舟

慈禧扮观音泛舟昆明湖莲花丛中，画像右一者为李莲英，右二者为慈禧。

这一说法颇具野史色彩，但不具有可信性。慈禧太后曾经和李莲英拍过一张合照，慈禧扮作观世音坐在莲池里，李莲英扮作护法神韦驮，双手合十，横杵于腕上。很有可能是这张照片流传出来后，有人以此为依据，编造出了这个故事。

“老佛爷”的真实来历

对于“老佛爷”这一称呼的来历，有人认为是慈禧太后60大寿时，下令承值人员等称她为“老佛爷”或作“老祖宗”。也有人说宫中称老佛爷是沿用蒙古旧俗。

还有人说“老佛爷”不是慈禧太后专用的称号，而是清代皇帝的特别称呼。例如宋朝将皇帝称为“官家”，明朝将皇帝称为“老爷”，清朝皇帝的特称便是“老佛爷”。持这一说法者认为，“老佛爷”这个称呼是来自满语“满柱”。满清的祖先女真族首领最早称为“满柱”，是佛号“曼殊”的转音，意为“佛爷”、“吉祥”。满清建国后，将“满柱”汉译为“佛爷”，并把其作为皇帝的特称。慈禧太后高高在上，自认为不比皇帝逊色，便也要求宫中称呼她为“老佛爷”。

无论是何种说法，“老佛爷”是“爷”，这一称呼与慈禧要求光绪帝称呼她为“亲爸爸”一样，都暴露出了慈禧争强好胜、不甘于向男子示弱的性格。

“九千岁”的宠辱人生

总管太监 李莲英

一个出身卑贱的太监，凭着自己的奋斗和机灵，靠近最高权力的中心。他老谋深算，狡黠多变，虽无官位，却有通天之能，连王公大臣也得礼让三分，成为了有清一代权势最高、财富最多的太监。他，就是李莲英。

贫穷人家的苦孩子

李莲英，直隶河间府人，生于道光二十八年(1848)。他原名李英泰，家境贫寒，其父李玉，是做皮硝生意的。道光末年，李玉带着一家老少来到北京，靠做皮硝维生。李莲英帮父亲干活，因而得了个“皮硝李”的绰号。

因为家贫，李玉委托同乡一个叫做沈兰玉的太监给9岁的李莲英净身。手术风险很大，李莲英差点丢了性命，幸而他求生欲望强，才捡回了一条命，随后，他被送进郑王府做了小太监，改名进喜。

13岁那年，在师傅沈兰玉的引荐下，李莲英入宫当太监。不久，英法联军入侵北京，咸丰皇帝偕后妃大臣北逃热河，李连英也随之逃到热河。

当时的李莲英只是个地位低下的太监，负责打扫之类的粗活。后来有传闻说李莲英在辛酉政变中，起到了为慈禧太后与恭亲王奕䜣传达密令的作用，其实不过是胡乱臆度之语。

李莲英入宫后，先后在奏事处和东路景仁宫当差，熬了几年，终于等到了出头之日，同治三年（1864)，他被调到长春宫慈禧太后御前当差。慈禧太后有为宫女太监取名的习惯，便将他的名字改为了“连英”，后以讹传讹传为“莲英”，但是在清宫档案文书中，依然写作“连英”。

从此，李连英有了接近慈禧太后的机会。不过当时他并不得宠，最得宠的是与他同时进宫的安德海。同治八年（1869），安德海奉命下江南采购龙袍，却因疯狂敛财、骄横狂妄被山东巡抚丁宝祯斩杀。

安德海一案，李莲英也受到了牵连，

先是被罚薪，继而因“滑懒不当差”被革去八品顶戴及钱粮，不久又官复原职。安德海的死给李莲英带来了震撼和警惕，经此事后，他更加小心做人，恭恭敬敬伺候主子。

慈禧面前的大红人

慈禧最宠信的太监安德海死了，自然要再寻觅一个可靠的太监来办事，她看中了办事精明的李莲英。李莲英果然没有辜负慈禧的期望，凡是交代的事都办得妥妥帖帖，很快被提拔为总管太监，取代安德海成为了慈禧的心腹。关于李莲英的得宠，民间最广为流传的说法是李莲英以梳头技术高明受到慈禧的宠信。

甚至有人玄之又玄地说慈禧青年守寡，春心寂寞，与李莲英有见不得人的奸情，这纯属无稽之谈。首先，李莲英肯定是个太监无疑。由于担心太监因净身不全，发生与后宫女子私通的丑闻，清宫特设验身房，每年都会对皇宫、王府里的太监进行例行检查，不断根清净的太监是不可能服侍后妃的。

其次，清宫对太监的管理是十分严格的。晚上8点以后，太监不得随意走动，各宫宫门上锁，钥匙上交到敬事房，请钥匙必须经过总管，还要写日记档说明原因，写清请钥匙的人，内务府还要查档。宫内除了值班太监，还有宫女为后妃值夜，既保证了她们的安全，也杜绝了私通丑事的发生。

再者，李莲英相貌丑陋，驴脸、长下巴、大鲇鱼嘴，即使慈禧再怎么不挑剔，也不会与他有染。

李莲英深得慈禧信赖，他的升迁速

↓慈禧太后像

度飞快，同治十一年（1872），李莲英被赏戴六品顶戴花翎；同治十三年（1874）三月，他被任命为储秀宫掌案首领大太监，这个职务一般需进宫服役30年才有资格担任，而他此时进宫刚满17年。光绪五年（1879），李莲英被任命为四品花翎总管。光绪二十年（1894），李莲英被赏戴二品顶戴花翎。清制规定太监品级以四品为限，慈禧对李莲英的宠信已经越制了。

慈禧对李莲英的信任与日俱增，到了晚年，他们甚至发展出了一种类似同伴的感情。根据清末太监宫女回忆，每天用膳起居，慈禧和李莲英都会遣派太监或当面问候。在西苑、颐和园居住时，规矩不那么严格，慈禧还经常去找李莲英，一同出去散步。散步时，他们两人走在最前面，有说有笑，其他人远远跟在后面。

慈禧心狠手辣，是个喜怒无常的人，李莲英为何能得到她长达几十年的信任？一是他办事机灵，口齿伶俐，又善于处理人际关系，慈禧信赖他，宫中其他太监宫女也服他。二是他小心谨慎，凡事唯慈禧是听，从来不自作主张，逾越本分，也自觉地不干涉朝政，这让慈禧觉得他进退有礼。三是他擅长奉承，处处迎合慈禧的心意，也懂得为慈禧解闷。

光绪帝与李莲英的关系

慈禧与光绪帝不和，许多野史小说都说李莲英站在慈禧太后一边反对变法，陷害帝党，变法失败后，在饮食起居上，他助纣为虐，百般苛待光绪帝。

↓李莲英（右一）和慈禧（正中）等人

其实以李莲英谨慎的性格是不可能这么做的，当时慈禧已是60多岁的老人了，光绪帝正当壮年，尽管是处于下风，但只要忍辱偷生等到慈禧驾崩，便可顺理成章地收回大权。李莲英不可能没有想到这一点，而且以他圆滑的性格，平时对底下人宽厚以待，更不可能轻易得罪一个皇帝。所以，他处处讨好光绪帝，即使是在光绪帝被囚瀛台期间，他也是毕恭毕敬。

光绪二十六年（1890），八国联军入侵北京，慈禧携帝后百官逃亡西安。局势稳定后返京，途中经过保定行宫。保定的官员匆忙接驾，为慈禧安排了住处，其他人除了给李莲英送来被褥之外，皆没有安排妥当，甚至没有给光绪帝准备卧具。

李莲英侍候慈禧睡下后前来问安，见光绪帝在灯前枯坐，小太监无一人在殿内值班，一问才知光绪帝竟然连铺盖都没有，时值隆冬季节，光绪帝根本无法睡觉。李莲英当即跪下抱着光绪帝的腿痛哭："奴才们罪该万死啊！"他马上回去将自己的被褥抱来让光绪帝使用。光绪帝返京后，回忆西逃之苦时曾说："如果没有李莲英帮我，我是活不到今天的。"

但也正是因为李莲英这种两边讨好、八面玲珑的做法，使慈禧在感情上对他有些疏远。李莲英不急不乱，即使受到冷落，仍是恭敬以待，不久，慈禧对他的信任又恢复如初。

有头无身之谜

光绪三十四年（1908）十月，慈禧崩逝。在办完慈禧的丧事后，李莲英离开生活了大半辈子的皇宫。在长期的太监生涯中，他积累下了大笔财富，也从兄弟们那里过继了4个儿子，因此，他的晚景并不似其他太监一样凄凉。

出宫后，李莲英没有回到家乡，而是一直待在北京。他在北京有4处房产，两处是买下的，一处是自己建造的，另一处是赐宅。当年八国联军入侵北京时，李家的宅子被烧毁。西逃回京后，慈禧高兴地说："终于回家了。"李莲英谨慎地跟了句："老佛爷是回家了，奴才可是没家了。"慈禧一惊，便将黄化门和棉花胡同共三个院子赐给了李莲英。

李莲英的晚年生活还算是比较舒适的，儿孙满堂，生活无忧。宣统三年（1911）二月，李莲英去世，葬于恩济庄茔坟。关于他的死因，民间有多种传说，有的说他因得痢疾医治无效病故；有的说他生前得罪了许多人，出宫后深居简出，但最终还是被仇人所杀；也有的说他积聚了大量财富，招来杀身之祸，被谋财害命。

1966年，正值文化大革命期间，李莲英的墓被"造反派"捣毁。当红卫兵们挖开他的坟墓时，惊奇地发现棺椁里只有头骨和一条长辫子，头部以下的部位空空荡荡。不过数十年，尸骨不可能腐烂得这么快，而且也没有躯干腐烂、头骨不腐的道理。从李莲英的尸骨情况来看，他很有可能是死于非命。但是具体的死因，恐怕只能永远成为一个谜了。

一代贤后 香消玉殒

同治皇后

世人皆知皇帝不好当，其实皇后也是不容易做的。皇后不仅要母仪天下，还需要处理好三宫六院复杂的妻妾关系，甚至要讨好皇太后。皇家也是寻常家，普通家庭常见的婆媳之争在皇室时有发生，如果碰上了恶婆婆，皇后的结局会更加悲惨，同治皇后便是很好的例子。

才貌双全的皇后

同治皇后阿鲁特氏生于咸丰四年（1854），她的父亲是大清“立国二百数十年满、蒙人试汉文”唯一摘得状元桂冠的旗人崇绮。清廷为了笼络汉族知识分子，一甲前三名状元、榜眼、探花一般都是为汉人所得。因此同治四年（1865）崇绮被钦点为状元时，引起了满朝议论。还是众大臣商议“只论文章，何分旗汉”，才确定了他的状元名号。

出生在这么一个书香门第，阿鲁特氏自幼受到父亲的教导和熏陶，文化修养颇高。她容貌俊俏，书法娟秀，左手能写一手好书，美名传遍了满洲和蒙古各部。

↑红釉描金喜字盘

此盘是同治七年（1868）皇帝大婚时烧制的，盘心饰描金喜字共6圈132字。

同治十一年（1872），同治帝已经17岁了，两宫皇太后决定为皇帝选后立妃。在皇后的人选问题上，慈安太后和慈禧太后的意见出现了分歧。慈安看中了翰林院侍讲崇绮的女儿阿鲁特氏，认为她淑慎端庄、知书达理，足以母仪天下，唯一美中不足的是她比同治帝大了2岁；而慈禧更倾向于选择员外郎凤秀的女儿富察氏，认为她聪颖俏丽，且出身高贵。据说慈禧选择富察氏还有更深一层的考虑，那就是富察氏年轻，阅历浅，易受摆布。

两宫太后僵持不下，于是将选择权交给了同治帝。慈禧原以为自己的亲生儿子会按照自己的旨意办事，谁知同治帝对阿鲁特氏一见倾心，将玉如意递给了她。慈禧大为恼火，对阿鲁特氏有了芥蒂。

在慈安和同治帝的坚持下，慈禧不得不屈服。同年二月，两宫太后颁布懿旨立阿鲁特氏为皇后，同时，封富察氏为慧妃、知府崇龄之女赫舍里氏为瑜嫔，前任副都统赛尚阿之女阿鲁特氏为珣嫔。

在这几位后宫妃子中，慧妃年龄最小，瑜嫔、珣嫔容貌出色，但皇后蕙质兰心、文采出众，《清宫词》里有一首赞美她的诗：

咏同治皇后

蕙质兰心秀并如，花钿回忆定情初。

珣瑜颜色能倾国，负却宫中左手书。

棒打鸳鸯惊春梦

同治十一年（1872）九月，同治帝举行大婚典礼，迎娶场面盛况空前。在新婚之夜，据说同治帝还对这位状元之女进行了一番文学上的考察，阿鲁特氏出口成章，对唐诗能够背诵如流，令他愈加爱慕敬重。

阿鲁特氏比同治帝年长，她以女性特有的温柔和母性呵护着皇帝，在她的熏染下，同治帝收敛了孩子般的任性，逐渐变得成熟稳重。

两人新婚燕尔，恩爱非常，招来了慈禧太后的不满。慈禧对同治帝立阿鲁特氏为后早已耿耿于怀，为了给皇后下马威，她故意抬高凤秀之女富察氏的地位，在册封妃嫔时，富察氏被封为慧妃，是品级最高的。按照惯例，妃嫔的册封礼与皇后的册立礼同日举行。但在同治帝大婚之日，只有慧妃的册封礼同日举行，瑜嫔、珣嫔的册封礼被安排到1个月以后。

现在看到同治帝与皇后缠绵厮守，恩恩爱爱，对她喜欢的慧妃却不理不睬，守寡多年的慈禧不免生出了几分妒意和恼意。她派太监监视皇帝皇后的行为举止，

↑同治皇后像

并对同治帝下谕："慧妃贤惠，虽屈居妃位，宜加眷遇。皇后年少，未娴宫中礼节，宜使时时学习。帝毋得辄至中宫，致妨政务。"

这话说得蛮横无理，直截了当地说皇帝常到中宫，便是妨碍了政务，简直是强行将同治帝从阿鲁特氏身边拉走。同治帝不敢违抗太后懿旨，却也不愿违背意愿去亲近他不喜欢的慧妃，于是干脆独居乾清宫。

阿鲁特氏独守空房，对于婆婆的强横，她委曲求全，常常半夜垂泪至天明，但表面上绝不流露出半点不满，对慈禧太后仍是恭敬。但是慈禧对她的反感却丝毫无减，这主要也与阿鲁特氏的性格有关。阿鲁特氏为人不苟言笑，也不善逢迎。她深受礼教熏陶，端庄正派，有意无意衬托出慈禧的低俗。有一次，阿鲁特氏陪同慈禧看戏，当台上演到男欢女爱时，慈禧看得津津有味，她却转头面壁，不愿观看，慈禧劝了多次，阿鲁特氏也不愿回头，这让慈禧非常难堪，对她愈加厌恶。

阿鲁特氏身边的人劝她要讨慈禧欢心，处理好与慈禧的关系，她却认为对长辈尊敬即可，用不着对慈禧阿谀奉承。亲人对她的处境感到忧心忡忡，阿鲁特氏安慰道，她奉天地祖宗之命，由大清门迎入，地位不是轻易可动摇的。清制规定，皇帝大婚时，只有皇后的凤舆才能经过大清门、午门、太和门到坤宁宫"降舆"，其他宫妃只能由神武门进宫。

探听到皇后此言的太监加油添醋回报给了慈禧，这可惹恼了她。慈禧通过选秀女入宫，从低品级的贵人一步步攀上了权力顶峰，她最大的遗憾是没能从大清门风风光光地入宫。阿鲁特氏的话让慈禧想起了初入宫的低微身份，她咬牙切齿，认为阿鲁特氏故意轻视自己，从此有了将阿鲁特氏置于死地的念头。

夫妻黄泉下相聚

同治十三年（1874）十月，同治帝出痘。阿鲁特氏焦急万分，立刻带领六宫供奉"痘花娘娘"，为皇上祈福。

十一月，天花出尽，却余毒未清，由于余毒侵入经脉，没多久，同治帝的病情急剧转下，腰部红肿、溃烂以至流脓。

在这种情况下，阿鲁特氏冲破慈禧的阻拦，去看望病重的同治帝，并不顾脏臭，擦拭脓血。看到奄奄一息的皇帝，她心如刀割，不觉泪流满面，倾诉独居宫中、备

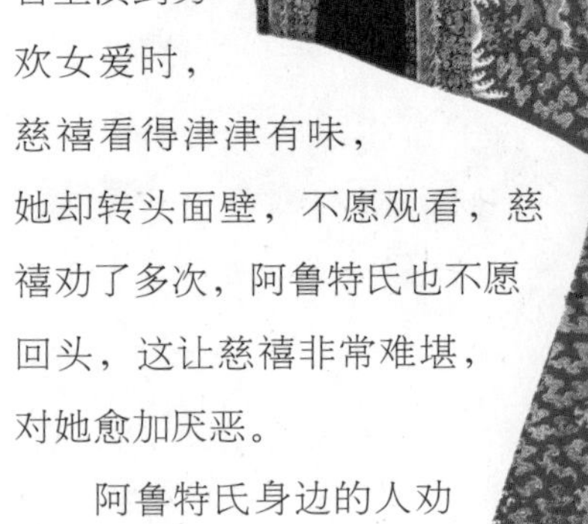

↑绛色纱云龙海水纹袷袍

受虐待之苦。同治帝强打精神安慰她：“你暂且忍耐，总有出头之日。”不料这话被慈禧布置在宫中的耳目听见，立即向慈禧汇报。慈禧勃然大怒，闯入暖阁，拽住阿鲁特氏的头发，一边往外拉，一边痛打，并扬言要杖责皇后。

杖责是惩罚太监和宫女的手段，慈禧此举，分明是要侮辱阿鲁特氏。病床上的同治帝看着这一幕，又惊又怒又急，气急攻心，竟晕了过去，宫内顿时乱成一团，慈禧才未对皇后动刑。惊吓之下，同治帝的病情更严重了几分。同年十二月初五，同治帝驾崩，终年19岁。14天后，两宫太后发布懿旨，封阿鲁特氏为嘉顺皇后。

光绪元年（1875）二月二十日，阿鲁特氏逝于储秀宫，年仅22岁，距同治帝驾崩不过75日。对于阿鲁特氏的死因，官方说法是皇后过于悲痛，抑郁于心，乃至抱病而死。这一说法含糊不清，有许多可疑之处，阿鲁特氏年纪轻轻，才22岁，平时身体健康，怎么会突然死去？于是阿鲁特氏自杀而死的传闻在民间传开，有人说她吞金而死，有人说她吞鸦片而死，也有人说她是服毒而死。

无论哪种死法，都是属于自杀。同治帝死后，阿鲁特氏在宫中的境况愈加险恶。在慈禧的授意下，同治帝的堂弟载湉（即光绪帝）被拥立为帝。如此一来，她的地位便格外尴尬，既不是皇后又不是皇太后，教她何地自处？

据说阿鲁特氏的父亲崇绮曾试探性地请示慈禧，如何安置同治皇后。慈禧冷酷地回答道：“即可随大行皇帝去罢。”意思是让皇后殉葬。崇绮惊得目瞪口呆，但也只能照办。恰巧阿鲁特氏写来一张字条，询问父亲该怎么办。崇绮忍痛在字条上写了个“死”字。

至于慈禧为何要将阿鲁特氏逼上绝路，民间还有很多说法。有人说阿鲁特氏是郑亲王端华的外孙女，端华是慈禧的政敌，慈禧因而迁恨阿鲁特氏。也有人说，阿鲁特氏怀了孕，慈禧怕生了皇子，立为新帝，阿鲁特氏成了皇太后，自己就不能垂帘听政了。还有人说，同治帝临死前写了遗诏立储，慈禧为了自己能掌权，私底下烧毁了遗诏，立自己属意的载湉为帝，她担心阿鲁特氏把这一秘密揭发出来，故要将她治死。

死后仍遭劫难

阿鲁特氏死时，同治帝的惠陵刚刚开工修建，所以她和同治帝的梓宫暂安于东陵的隆福寺。光绪五年（1879）三月，同治帝、阿鲁特氏（孝哲皇后）入葬惠陵地宫。阿鲁特氏死前遭受虐待，死后也不得安宁。1945年8月，清东陵的几座帝后陵墓被盗，涉及的陵寝有康熙帝的景陵、咸丰帝的定陵、同治帝的惠陵和慈安陵。

惠陵地宫被打开，地宫和帝后棺椁中的随葬物全被盗走。阿鲁特氏身上的衣服被扒光了，值钱的饰物也被不法盗贼夺去，更令人惨不忍睹的是，她的肚子被剖开。社会上盛传阿鲁特氏是吞金而死的，盗贼为了取金子，所以残忍地将她的尸体开膛破肚。

君临天下的“女皇”

《《《《 慈禧太后垂帘听政

无人能否认慈禧是个权力迷，这位近代史上最有权势的女人，统治了中国长达半个世纪之久。她经历了第二次鸦片战争、中日战争、戊戌变法、义和团运动等诸多重大历史事件，无论何时何地，她都紧紧抓住手中的权力，直到死也不愿放开。

后宫争夺

慈禧生于道光十五年（1835），其父惠徵曾任安徽徽宁池广太道道员。咸丰元年（1851），慈禧以选秀女入宫，被封为兰贵人。清朝后宫制度，皇后居中宫，总摄六宫，皇后以下分别是皇贵妃一人，贵妃二人，妃四人，嫔六人，分居东西十二宫，之下还有贵人、常在、答应三个等级，没有固定数额，随居十二宫。贵人只是皇帝的小妾，尚未能名正言顺称得上是“主位”。

慈禧天生丽质，美貌过人，一入宫就受到了咸丰帝的宠爱，咸丰四年（1854）晋封为懿嫔。慈禧受到皇帝的恩宠，自然会引起其他后妃的嫉妒，不少后妃明里暗里给她使绊子。在这吃人的宫墙里，懦弱只会带来屈辱，甚至是杀身之祸，慈禧本是好强之人，又极为聪明，避过了不少明枪暗箭。咸丰六年（1856）三月，慈禧生下了皇长子载淳，即后来的同治帝。咸丰帝大喜过望，当天便封她为懿妃，次年又晋封她为懿贵妃。

咸丰帝体弱多病，慈禧曾代替他批阅章奏，颇有见地。但咸丰帝喜欢的是女人的美色而不是智慧，而且他本是个喜新厌旧之人，慈禧又个性倔强，常常顶撞他，甚至借事弄权。于是，慈禧渐渐失宠，不过由于她生下了咸丰帝的独子，因此她在后宫中的地位仍是不可动摇的。

咸丰十年（1860），英法联军攻占大沽、天津后，逼近北京。咸丰帝仓皇携宫妃逃往避暑山庄。离宫前，慈禧曾极力劝阻，请求咸丰帝留守北京，抵抗联军入侵。为此，她触怒了咸丰帝，险些被处死。丧权辱国的《北京条约》签订以后，她深以为耻，劝咸丰帝废约再战。然而此时咸丰帝已病危，自顾不暇。

慈禧屡次忤旨，咸丰帝甚为不快，与心腹重臣论及此事。肃顺请求咸丰帝按照钩戈故事处理。所谓钩戈故事，指的是汉武帝钩戈夫人一事。钩戈夫人即赵婕妤，因居住在钩戈宫，故称钩戈夫人。汉武帝晚年欲立钩戈夫人所生子弗陵为太子，唯恐主少母壮，女主专恣淫乱，遂借故处死钩戈夫人。咸丰帝心中不忍，犹豫不决。一次酒醉失言，他将肃顺的一番话泄露了出去，慈禧听到后，对肃顺衔恨不已。

辛酉政变

咸丰十一年（1861）七月，咸丰帝病死热河。在他弥留之际，慈禧抱着年幼的皇长子载淳入见咸丰帝，哭问事情该怎么办。咸丰帝已是奄奄一息，合眼不答。慈禧急中生智，连忙说："你儿子在此。"

咸丰帝才睁开眼睛说道："当然是立之为君。"他之前并未立储，出此言即决定了未来的皇帝人选。当时咸丰帝已是病入膏肓，无力执笔，令军机大臣承写谕旨，立载淳为皇太子，继承皇位。

载淳当时年仅6岁，咸丰帝于是任命怡亲王载垣、郑亲王端华、户部尚书肃顺等八人赞襄政务，称"赞襄政务王大臣"，辅助幼主。为了防止出现类似鳌拜专权的情况，又分别赐予皇后钮祜禄氏及皇太子载淳"同道堂"、"御赏"玺,作为即位后下达圣谕的符信。咸丰帝本意是希望两方互相制衡，以防大权旁落，但他没有想到的是，这一安排反而加速了皇室内部的争端。

咸丰帝驾崩后，载淳在热河行宫烟波致爽殿即位，改年号为"祺祥"。皇后钮祜禄氏晋封皇太后，称母后皇太后，上徽号慈安；懿贵妃叶赫那拉氏以载淳生母身份晋封皇太后，称圣母皇太后，上徽号慈禧。

肃顺等人凭借着咸丰帝的遗诏气焰嚣张，扩张权势，这引起了慈禧太后的极度不满。而慈禧本人极强的权力欲，也引起了肃顺等人的警惕。咸丰帝给载淳留下的"御赏"一印，实际掌控在慈禧的手里。肃顺等人为了防止母后夺权，处处掣肘慈禧。

避暑山庄顾命大臣的势力强大，两宫太后处于劣势。在慈禧的建议下，两宫太后决定急召远在北京、唯一能与八大臣抗衡的恭亲王奕䜣赴热河来见。

留守北京的奕䜣也有自己的打算，当

↑慈禧陵寝隆恩殿前的陛石

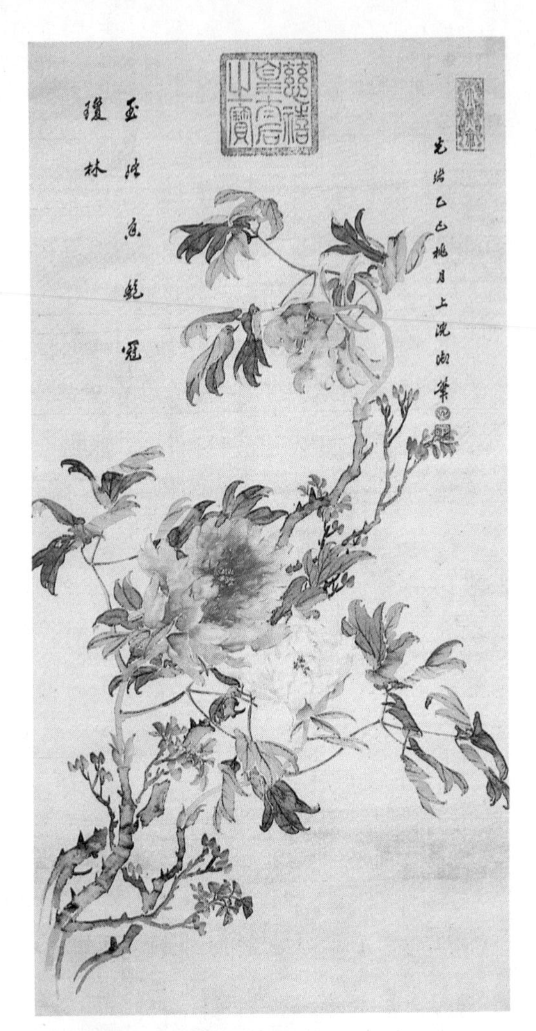

↑慈禧太后手绘的花卉图

得知遗诏的内容时，他完全没有想到自己竟然被咸丰帝彻底排斥在权力中心以外。两宫皇太后召他觐见时，虽未明确说明目的，奕䜣也明白了一二。他一再请求赴热河叩谒梓宫（皇帝棺木），这一合理要求让肃顺等人没有理由驳回，便批准了他的请求。

咸丰十一年（1861）八月初一，奕䜣抵达热河，祭奠咸丰帝。哭祭后，两宫太后传旨召见奕䜣，受到顾命大臣的极力阻挠。慈禧太后坚决要见，多次派太监传旨，终于得以单独召见奕䜣。叔嫂三人秘密会谈，策划从肃顺等人手中夺权。

一切就绪后，为免肃顺等人起疑，奕䜣立即赶回北京，布置一切，只等待肃顺等人回京，便可将他们一网打尽。

在慈禧、奕䜣密谋政变的准备阶段，山东道监察御史董元醇奏请太后垂帘听政一事加剧了两宫太后与顾命大臣之间的紧张关系。慈禧太后在收到奏折后留住不发。肃顺等人却打算严惩董元醇杀鸡儆猴，以祖制一向无皇太后垂帘听政之礼为由，坚决要求明发上谕痛加批驳，并起草了一份措辞严厉的上谕稿呈送到慈禧那里。

慈禧召见肃顺等人，结果双方当廷争执起来，肃顺勃然大怒，说他们是“赞襄皇上，不能听命于太后”，“请太后看摺，亦系多余之事！”慈禧怒极，小皇帝载淳也吓得直哭，把慈禧的衣服都尿湿了。次日，顾命大臣停止办公，以此向慈禧施加压力。慈禧无奈，被迫向顾命大臣屈服。肃顺等人以为慈禧已经向他们屈服，便大大放松了警惕。

咸丰十一年（1861）九月二十三日，咸丰帝梓宫离开热河回京。两宫太后、幼帝载淳及载垣、端华等大臣从小道先回，以便在京迎候梓宫。肃顺与醇郡王奕譞等人护送咸丰帝灵柩随后。慈禧由此巧妙地切断了肃顺和其他顾命大臣的联系。

九月二十九日，两宫太后抵京后于养心殿东暖阁召见奕䜣，此时肃顺尚未回京，而载垣、端华等人没有对此产生应有的警惕。

十月初三，慈禧以皇帝的名义发布早在热河就拟好的上谕，以不能尽心和议，阻挠皇帝回銮，反对太后垂帘听政等罪名，将载垣、端华、肃顺等八名顾命大臣或处死，或赐命自尽，或革职拿办。同时，改年号为“同治”，授恭亲王奕䜣为议政王，确定了两宫太后垂帘听政，恭亲王辅政的制度。此事发生在辛酉年，故史称“辛酉政变”，也称为“北京政变”。

独尊天下

辛酉政变后，慈禧太后登上了晚清的政治舞台，但是远未称得上是政坛第一人。同治帝年少，又是她的亲生子，姑且不论。如今可制衡她的还有两个人，一个是慈安太后，另一个是恭亲王奕䜣。慈安性情宽厚，温良恭俭，对权力不感兴趣，因此日常事务都交由慈禧处理，但是在重要大事上，还是要由她来决定。

慈安遇事该断即断，如果没有她的支持，辛酉政变仅以慈禧、奕䜣两人之力，不一定能够成功。在是非问题上，她也毫不含糊。慈安行事，朝野内外莫不交口称颂，她比慈禧多了份气量和胸怀，深得同治帝的敬重。因此，她的存在对于急于弄权专政的慈禧而言，具有相当的威慑作用。

然而天不遂人愿，光绪七年（1881）三月，慈安于钟粹宫去世，享年45岁。她的死有些突然，仅前一天，她的身体稍感不适，第二天晚上便猝然而逝。慈安的身体素来强健，反而是慈禧身体不太好，当噩耗传来时，许多大臣都以为是“西边出事”了，谁知道仙逝的竟然是慈安，让王公大臣们颇为震惊。于是朝野纷纷有了传言，认为慈安不是病逝，而是被慈禧毒害死的，也有说是自杀而死。

有人说咸丰帝生前早就看出了慈禧专权跋扈的个性，便留给慈安一封遗诏，让她在必要时处死慈禧。在慈禧的哄骗下，慈安焚毁了遗诏。慈禧没有了顾忌，便将她毒死了。也有一种说法是慈安无意中撞

↓慈禧太后在颐和园乐寿堂与外国公使夫人合影

见了慈禧淫秽宫廷的丑事，慈禧为了避免秘密泄露，便毒死了她。

至于如何将慈安毒死的，说法也很多，一种是慈安吃了慈禧送的糕饼后，中毒而死；一种是慈安喝了放有毒药的汤后中毒而死；还有一种是慈安生病，慈禧故意令太医院以不对症之药将其致死。

除了毒害说，还有自杀说，持此说法的人认为慈禧干预朝政，卖官受贿，慈安兴师问罪，慈禧却咄咄逼人，慈安木讷不能与之辩论，心中愤恨，吞鼻烟壶自尽。说到底，仍然是慈禧的缘故。

但也有学者认为慈安是自然病死，慈安身体表面上看起来康健，但早有隐忧，她26岁时曾经患病长达24天，甚至病重到了无法开口说话的程度，同治八年(1869)十二月，她旧疾复发，昏迷了许久才醒。光绪七年（1881）一月，慈禧生病，慈安不得不出来主持朝政，疲劳过度，导致旧病发作，引起脑溢血突发而亡。

然而此说也不过是一家之言，慈安暴卒的真正原因，还待考证。无论如何，慈安的死，为慈禧专权扫清了障碍。至于恭亲王奕䜣，慈禧还不放在眼里，奕䜣虽然有才能，却没有权术，她略施手段，便让他尝到了与她作对的苦头。慈禧一步步削弱奕䜣的权势，光绪十年（1884），奕䜣再度被罢黜，此后基本上已被排斥在权力圈外，再也无力与她抗衡了。

同治十一年（1872），同治帝载淳大婚。次年，慈禧撤帘归政，但仍把持朝政。同治十三年（1873），同治帝病死。慈禧为了继续

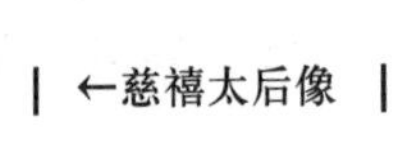
| ←慈禧太后像 |

慈禧太后的驻颜术

慈禧太后是个爱美之人，平时保养得当，直到70多岁时，仍然肌肤光滑。美国女画家卡尔曾入宫为慈禧作画，据她所说，慈禧尽管已经70岁了，但看起来仍像是30多岁的贵妇人。

慈禧驻颜有术靠的是养生和保养，她饮食节制，且懂得营养搭配。晚年时，她每天服用一钱人参，噙在嘴里，直到噙化，还将珍珠研磨成粉末，调成粥状，用温水送服。此外，她还有一个美容秘诀，便是每天睡觉前洗完脸，将鸡蛋清轻轻地抹在脸上，脸上的皮肤立刻紧绷。次日醒来，再用清水将已经结成一层薄皮的蛋清洗去，随后抹上脂油，立即容光焕发。

掌权，以“幼者乃可教育”为由选择了醇亲王奕譞之子、她的外甥载湉为帝。载湉继位，年号“光绪”，她再一次垂帘听政。

光绪十五年（1889），光绪帝大婚。此时光绪帝已经19岁。顺治帝14岁成婚，嘉庆帝、同治帝均为17岁成婚，皇帝成婚后即代表着成年，可以亲政。慈禧太后之所以拖了两年才给光绪帝考虑婚事，无非是不想交出手中的权力。

光绪帝大婚后，慈禧宣布归政，退居颐和园，明面上似乎退隐不理政事，实际上朝中用人行政，仍由她一手控制，光绪帝只不过是台面上的傀儡而已。

光绪二十四年（1898），光绪帝锐意革新，决心变法，即戊戌变法，又称百日维新。变法触犯了慈禧的利益，她果断发动政变，扼杀新政，囚禁光绪帝于瀛台，复出训政，此后至她去世之前，再也没有将手中的权力放开过。

死后也争权

光绪三十四年（1908）十月二十二日，慈禧死于西苑仪鸾殿，谥“孝钦慈禧端佑康颐昭豫庄诚寿恭钦献崇熙配天兴圣显皇后”。她生前争强好胜，死后仍然渴望高人一等。清制规定，皇帝谥号首次上20个字，第二次加2个字，如此类推，上满22个字后不再增加。皇太后的谥号首次上12个字，以后逐次加2个字，满16个字后不再增加，而且第一次上谥号时，皇太后生前的徽号既不能一字不用，也不能全部都用上。但慈禧的谥号完全超出了规格，她首次便上了22个字，而且生前徽号的16个字全用上了。慈安太后的谥号仅15个字，与之相比，即可见其特殊性。

此外，慈禧陵在规模上也超出了一般皇太后的规格。慈安、慈禧两宫皇太后的陵寝在同治十二年（1873）开工营建，光绪五年（1879）竣工。两座陵墓建筑规模大体相同，但慈安陵共用白银260万两，而慈禧只用了227万两。

这对于好强的慈禧而言，心中感到很不愉快。光绪二十一年（1895），慈禧对陵墓进行了一次大修，时值甲午战后，又逢全国遭遇罕见的灾荒。她不顾民生疾苦大修陵墓，重修工程持续了10多年，直至慈禧崩逝前几天才完工。

一将功成万骨枯

年羹尧失宠

雍正帝为人刻薄寡恩，心胸狭窄，治国理政甚严，对臣属也时刻存猜忌之心。他之所以能登上帝位，是与隆科多等重臣的相助分不开的，然而这些大臣们在他继位之后，却多落个身败名裂、身首异处的下场。隆科多是如此，被雍正帝视为心腹的年羹尧也逃离不了“狡兔死、走狗烹”的悲惨结局。

文武双全

年羹尧以武功见长，在沙场上屡建功业，然而其仕途的发端却缘于科举。年羹尧博闻强识，熟读四书五经，才华横溢，康熙三十九年（1700），他参加科举考试，中了进士，不久充任庶吉士，曾担任过翰林院检讨、四川广东的乡试考官、内阁学士等职。年羹尧的仕途颇为平坦，康熙四十八年（1709），他出任四川巡抚，此时他年仅30岁，可谓是年轻有为。

年羹尧到任后，兢兢业业，勤恳为民，从不徇私，也不贪污受贿。对于年羹尧的淡泊名利，康熙帝十分赞赏，还曾下谕嘱咐他以后要固守为官之道。

康熙五十七年（1718），年羹尧升任四川总督，兼管巡抚事，统领军政和民事。在任期间，他尽忠职守，为清军驱逐入侵的准噶尔军提供了坚实的后勤保障。康熙五十九年（1720），他挂“平西将军”印，指挥将领岳钟琪等人打进西藏，挫败企图叛变的驻藏军官策凌多卜。康熙六十年（1721），年羹尧任川陕总督，成为西南边疆的要员。他多次督兵剿抚辖区内的少数民族叛变，对西南的局势稳定起了极其重要的作用。

←清·开花献桃荷花缸钟

康熙六十一年（1722）十一月，清圣祖玄烨驾崩，皇四子胤禛继位，改年号为雍正。胤禛还是皇子时，年羹尧便与之私交甚笃，并为其争夺帝位出谋划策。因此胤禛登基后，他更是备受器重。

威震沙场

雍正帝一即位，为了巩固帝位，立即将手握兵权的抚远大将军胤禵召回，令年羹尧掌管大将军印务，留待继任的延信到任。雍正元年（1723）十月，延信抵达西宁后，雍正帝改命延信为平逆将军，任年羹尧为“抚远大将军”。

是年，青海和硕特部首领罗卜藏丹津胁迫青海蒙古各部于察罕托罗海会盟，强令各部取消清朝封号，恢复原来名号，并发动武装叛变，出兵进攻邻部及西宁，企图割据青海。清廷闻变后，派遣兵部侍郎常寿前往谈判。罗卜藏丹津蛮横无礼，拘禁了常寿。雍正帝决定迅速平乱，调遣年羹尧、岳钟琪等率师征讨。

年羹尧调兵神速，首先派兵驻藏，阻断叛军与准噶尔部的联系，随后派遣精锐部队向西宁附近叛军发起进攻。叛军迅速被瓦解，罗卜藏丹津西逃。年羹尧下令追剿叛军残部，各路兵马日夜兼程，对叛军穷追猛打。到了雍正二年（1724），叛乱基本被镇压，几万叛军全部投降，罗卜藏丹津狼狈逃窜，装扮成妇人才得以逃脱。平定叛乱后，在年羹尧的建议下，清政府对青海地区的行政建制进行重大改革，从而使青海完全置于清廷的直接管辖之中。

↑年羹尧画像

年羹尧，字亮工，汉军镶黄旗人。年羹尧在雍正帝登基过程中，起了十分重要的作用，被雍正帝视为新政权的核心人物。雍正三年（1725）十二月十一日，议政大臣议定年羹尧罪状共92款上奏。雍正帝遂命年羹尧自裁。

经此一役，年羹尧威名远扬，雍正帝喜出望外。同年十月，年羹尧奉诏进京。雍正帝赏赐年羹尧双眼花翎、四团龙补服以及黄带、紫辔、金币等物，并晋升他为一等公。此外，再赏给一子爵，由其子年斌承袭；其父年遐龄则被封为一等公，外加太傅衔。

年羹尧可谓是一门显赫，父亲年遐龄身居高位，兄长年希尧任工部侍郎，妹妹是雍正帝的妃子，被封为贵妃，他的嫡福晋是宗室辅国公苏燕之女。年家与皇室有着千丝万缕的关系，说是皇亲国戚也不足为过。而且他深受雍正帝倚仗，是皇帝身边的大红人。雍正帝在朝廷政务上常与年羹尧切磋商定，无论官员任免还是地方事务的推行，必事先征询他的意见。

为了颂扬年羹尧的丰功伟绩，雍正帝还下了道谕旨：“不但朕心倚眷嘉奖，朕世世子孙及天下臣民当共倾心感悦。若稍有负心，便非朕之子孙也；稍有异心，便非我朝臣民也。”要求子孙以及臣民感激牢记年羹尧之功劳，否则便不是他的子孙臣民。雍正帝此举实在是令人瞠目结舌，对年羹尧的恩遇简直到了无以复加的地步。

雍正帝对年羹尧的宠信爱护还体现在生活上，他对年氏一族关怀备至。年羹尧旧疾复发及妻子得病时，雍正帝都再三慰问，赐送药品，并时常与年羹尧手谕往来，告知其妹年贵妃在宫中的情况。

↑清・画珐琅提梁壶

表面上看来君臣之情其乐融融，然而水满则溢，年羹尧爬得越高，跌得也就越重越惨。他军功显赫，享誉朝野，被吹捧冲昏了头，做出了许多不应该做的事情，从而引起了雍正帝的猜疑。

功高遭忌

雍正帝很早便对年羹尧动了杀机。雍正二年（1724），年羹尧平定青海叛乱后奉旨进京，沿途令官员跪道迎送。到京时，王公以下官员跪接，年羹尧不下马直行而过。王公大臣下马向他问候，他也只是点点头而已。在雍正帝面前，他的态度也十分骄横，丝毫没有臣子的恭谨之礼。更有甚者，他曾向雍正帝进呈自己出资印刻的《陆宣公奏议》，请求皇帝为此作序。雍正帝正想亲自撰写序言，他却以不敢“上烦圣心”为借口，代雍正帝拟序言。

皇帝最忌讳臣子勾朋结党，年羹尧在朝中安插自己的亲信，自然犯了雍正帝的大忌，而且朝中大事多由年羹尧做主发话，连为书作序也被代劳，雍正帝落了个受人支配的名声，心中更为痛恨，寻机逐步清除年羹尧。

雍正三年（1725）正月，年羹尧指使陕西巡抚胡期恒参奏陕西驿道金南瑛。雍正帝不予准奏。两人的矛盾逐渐公开化。同年三月，京师空中出现“日月合璧，五星联珠”的祥瑞之相，群臣称贺，年羹尧也上表称颂，但字迹潦草，又将“朝乾夕惕”误写为“夕惕朝乾”。

雍正帝借机发难，认为他心怀不敬之心。当年四月，雍正帝免除年羹尧川陕总督与抚远大将军之职，调任杭州将军。年羹尧降任杭州将军后，许多曾受过他提拔的人纷纷遭受牵连，有一个叫作汪景琪的人，写了一部《西征随笔》，称赞年羹尧的军功，雍正帝闻讯后，将其处死。雍正帝身边的侍讲官钱名世，曾写过几首诗颂扬年羹尧平定西藏的功劳。雍正帝大为恼怒，将钱名世革职，并御书“名教罪人”四字，制成匾牌，悬挂在钱家的大门之上。雍正帝的心胸狭窄可见一斑。

年希尧（？～1738），年羹尧之兄，由笔帖式，累官广东巡抚、工部侍郎。雍正三年（1725），年希尧因受年羹尧株连被夺官，次年复起用，授内务府总管，任淮安板闸关督理兼理景德镇御窑厂窑务。在他管理的10年期间，官窑称为“年窑”。

年窑器仿古器甚为精雅，甚至达到乱真的程度，其器形多仿尊、罍，其釉多呈蛋青色，洁白莹素，名为“雨过天青”。同时也发明了不少新的色釉，其中以胭脂釉瓷最为著名，器物胎骨极薄，里釉极白，外施胭脂釉，呈现粉红色。有人如此评价道：“国朝陶器美无匹，迩来年窑称第一。”

无奈自尽

年家朝夕之间剧变，年羹尧之妹年贵妃心急如焚，忧郁成疾，不久去世。雍正帝更是下定决心收拾年羹尧。诸臣揣摩圣意，纷纷上奏揭发年羹尧的罪状。雍正三年（1725）十月，雍正帝削去年羹尧官爵，将其逮捕回京会审，后以92款大罪定刑，其中有30多条可将年羹尧处以极刑。

雍正帝为了避免背负杀戮功臣的恶名，故作宽宏大量，说念及年羹尧功勋卓著，特地开恩，赐其自裁，族中任官者俱革职，嫡亲子孙发遣边地充军。

年羹尧听到消息后，犹不敢信，寄望雍正帝念及旧情，回心转意。然而雍正帝杀他之心已决，年羹尧悲愤绝望之下自尽身亡，一代名将落得个家破人亡的下场。

关于雍正帝为何杀年羹尧，史学界向来有争论。有学者认为雍正帝的皇位是靠矫诏夺位得来的，年羹尧参与了谋逆行动，深知雍正帝的不孝不忠之举。雍正帝即位后许之以高官厚禄，以笼络人心，然而心中疑虑不定，唯恐年羹尧泄密，便将他杀人灭口。然而雍正帝继位一事本是疑案，况且他继位时，年羹尧远在西北，未必知晓其中内情。所以这一怀疑纯属猜测。暂且抛开“杀人灭口”一说不提，从年羹尧自身的作为而言，他自恃功高，妄自尊大，任人唯亲，凭仗权势罔作威福，超越了作为臣子的本分，触犯了雍正帝的底线，最终被处死也是历代王朝常见之事。

"我是属驴的"

宰相刘墉的官场人生

提起刘墉，人们的脑海里自然而然就会浮现出驼背罗锅的形象，他机智幽默，不畏权贵，与和珅展开了一系列斗智斗勇的行动，并屡屡揭穿和珅的恶行。然而，历史上的刘墉却是一个深谙官场规则的人物，他熟知何时该进何时该退，是封建官僚的典型代表。

刘墉是罗锅吗

刘墉出生于康熙五十八年（1719），山东诸城人，字崇如，号石庵。不过，对于他的名号人们更为熟知的是其绰号"罗锅"。一提起"刘罗锅儿"，人们便觉得很亲切，然而，刘墉究竟是不是罗锅呢？

据说，"罗锅"二字是乾隆帝亲口所封。一日乾隆帝闲来无事，故意拿刘墉的生理特征取乐，赐封他为"罗锅"，还提了一首诗："人生残疾是前缘，口在胸膛耳垂肩。仰面难得见日月，侧身才可见青天。卧似心字缺三点，立如弯弓少一弦。死后装殓省棺椁，笼屉之内即长眠。"

这首诗确实刻薄，刘墉却不急不恼，提笔回了一首诗："驼生脊背可存粮，人长驼背智谋广。文韬伴君定国策，武略戍边保安邦。臣虽不才知恩遇，承蒙万岁赐封赏。别看罗锅字不多，每年白得两万两。"原来按清朝惯例，凡是皇帝赐封了名号的官员，吏部每年要给2万两银子。这个故事反映出了刘墉的机智。

其实这个绰号与乾隆帝无关，是嘉庆帝封的，而且嘉庆帝说的不是"罗锅"而是"驼子"。据史书记载，嘉庆帝偶尔称刘墉为"刘驼子"，但当时刘墉已年逾八旬，再加上他常年伏案读书，难免会弯腰驼背，不能以此推断刘墉年轻时便是个罗锅。相反，从种种史料记载来看，刘墉即使算不上相貌堂堂，却也不至于身有残疾。

这要从清代的选官取士标准论起。在封建社会，要想参加科举考试，必须符合"身、言、书、判"4项标准。身，即形体，需要五官端正，仪表堂堂；言，即言谈举止，需要口齿清楚，语言通顺明晰；书，即书写，字要写得工整，以免潦草误事；判，即思维能力，需要头脑敏捷，审判明断，不能当糊涂官。在这4项标准中，"身"是最直观的，也最为重要。

相貌的重要性还可从另一个侧面体现出来，按照规定，举人会试三科不中，可应考"大挑"科。这一科不考文章，也不考口才，只论相貌，标准是"同田贯日身甲气由”，以字形来比拟身形，“同”指长方脸，“田”指四方脸，“贯”指方头大脸身体直长，“日”指高矮肥瘦适中，符合以上这四个字者便有入选的可能。“身”指身体歪曲，“甲”指头大身体小，“气”指肩膀一边耸一边平，“由”指头小身体大，凡是与这四个字有关者，落选无疑。清代官场重视官员相貌，而乾隆一朝又为之最，刘墉既然是科举出身，那么就不可能是罗锅儿。

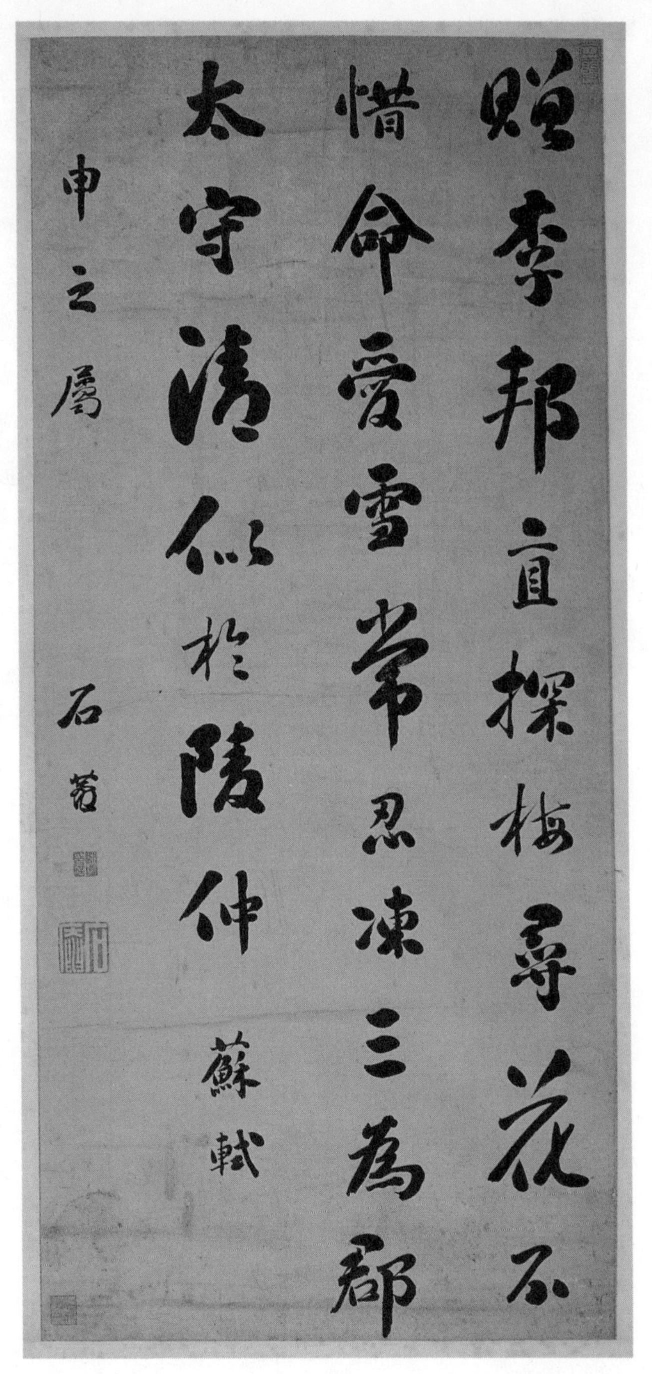

↑刘墉书法

怎样的一个官

刘墉一生廉洁奉公，为官清正，这与刘家的门风有很大的关系。刘氏家族是诸城当地的名门望族，他的曾祖父刘必显是顺治年间的进士，祖父刘棨是康熙朝有名的清官，父亲刘统勋位极人臣，官至东阁大学士兼军机大臣，深受乾隆帝器重，死后被谥为“文正”，这是清代对大臣最高的评价。

刘墉生于官宦之家，自幼受到良好的教育，然而不知何故，他却一直没有参加科举考试。直到乾隆十六年（1751），刘墉才因父亲的关系，以恩荫举人的身份参加了当年的会试和殿试，并获进士出身，授翰林院编修，后升至翰林院侍讲。

乾隆二十一年（1756），刘墉外放做官任安徽学政，在此后的20余年里，他基本担任地方官职，历任学政、知府、巡抚

↑清·黑漆装金镂雕加罩桌子

等。在任期间，他办事正直干练，雷厉风行，整顿科场积弊、官场恶习。他为人清廉，一文不取，遇事敢作敢为，不怕得罪上司。

乾隆三十四年（1769），刘墉授江宁府知府。在一年多的在任时间里，他不畏强豪，屡破疑案。创作于嘉庆初年的弹词《刘公案》便主要是以刘墉在江宁知府任上决断疑案、为民伸冤的故事为蓝本改编而成的，可见他在江宁知府任上确实有政绩，是难得的清官。

与此同时，刘墉也有不光彩的一面，他身为清朝的忠臣，不遗余力地维护清室的统治，推行文化高压政策。乾隆二十六年（1761），刘墉担任江苏学政。这一年，江苏沛县监生阎大镛因抗粮被捕入狱，刘墉派人到阎大镛家搜查，结果搜出了他认为有问题的诗稿，急忙上报乾隆帝，结果阎大镛因诗稿中有字句犯讳被斩首。

乾隆四十二年（1777），刘墉第二次任江苏学政。江苏东台县举人徐食田兄弟因土地买卖纠纷，被同乡蔡嘉树告发其祖父徐述夔的文集《一柱楼诗集》中有悖逆之语。刘墉审阅，发现其中有“明朝期振翮，一举去清都”的诗句，他如获至宝，上奏乾隆帝，最终酿成大狱。徐述夔及其子徐怀祖被开棺戮尸，徐食田等人被斩首，多名官员遭到革职、流放的处分。刘墉以劾举徐述菱著作悖逆事有功和督学政绩显著，迁户部右侍郎，后又调任吏部右侍郎。乾隆四十七年（1782），刘墉调任回京，任三通馆总裁，兼任吏部尚书、都察院左御史。

刘墉和乾隆帝

在民间故事中，刘墉总是被描述成一个遇事化险为夷，乾隆帝对其又爱又恨，偏偏拿他没办法的形象。然而事实上，刘墉的仕途并不是十分顺畅，他屡次因事受罚，受到乾隆帝的呵斥。

乾隆二十一年（1756），刘墉担任安徽学政。他赴任前，乾隆帝特意召见他并赐诗，希望他学习其父的刚正之风，不辱门楣，有所建树。乾隆二十七年（1762），刘墉任山西太原府知府。乾隆三十年（1765），刘墉任冀宁道台。次年，山西阳曲县知县段成功贪污公款案发，刘墉虽然已经离任，但仍脱不了干系，以失察罪被发配到边疆军队效力赎罪长达一年。乾隆三十二年（1767），刘墉回京后担任翰林院编修，在一个叫做“修书处”的闲散机构里蹉跎了两年。乾隆三十三年（1768），刘统勋70寿辰，乾隆帝御书匾额志贺，还加恩刘墉以知府候补。第二年，刘墉获授江宁府知府。

乾隆五十二年（1787），刘墉因泄露了他和乾隆帝关于两位大臣评价的对话，受到申斥，并失去了本应获得的大学士一职。同年八月，乾隆帝让刘墉主持祭拜文庙。刘墉因没有按照礼仪行事被太常寺卿参劾。乾隆五十三年（1788），刘墉兼理国子监时，发生乡试预选考试中考生向监考官行贿之事，被御史祝德麟弹劾，刘墉受到牵连，也被处分。

乾隆五十四年（1789）二月底至三月初，因连天阴雨，负责皇子教育的上书房诸师傅没有入值。乾隆帝得知后大为恼火，严厉训斥了时任上书房总师傅的刘墉，措辞严厉，说他遇事不尽职，于国为不忠，于父为不孝。刘墉被降职为侍郎。乾隆五十八年（1793），刘墉出任会试主考官，办事失当，以至造成阅卷草率，违制和不合格的卷子很多，因此被乾隆帝严行申饬。

嘉庆元年（1796），户部尚书董诰超过资历深厚的刘墉被破格增补为大学士。以嘉庆帝名义颁布的上谕中批评刘墉不肯用心办事，命令他自省悔过。嘉庆二年（1797），刘墉授体仁阁大学士，然而上谕仍然指责他办事不肯出力，行为懒散，而且说是因为实在无人，才将他擢升此任。虽然这两条上谕是以嘉庆帝的名义发出的，但因为朝政仍由太上皇乾隆帝掌控，所以代表的仍是乾隆帝的意见。

刘墉确有令乾隆帝不满意的地方，一日，乾隆帝向他询问官员戴世仪是否可胜任知府一职，刘墉回答尚可，实际上戴世仪是个庸才。乾隆帝很恼火，认为他敷衍塞责，平日对人才选拔全无用心。刘墉为何在地方官任上雷厉风行、果敢勤勉，回到京城后反而遇事模棱两可、懒散松懈？

从刘墉后来的表现看，他绝不是个因处境优越而懒惰之徒，其实，小错不断、大错不犯只不过是他的为官之道。刘墉深知，皇帝是整个官场的主宰者，顺他

↓清末·《刘墉拿李武举》年画

画中描绘刘墉微服私访，为一冤死者伸冤的故事。

者生，逆他者亡。乾隆帝又是个极为自负的人，曾有一个所谓“本朝无名臣”的理论，认为朝廷纲纪整肃，所以没有名臣，也没有奸臣，只有圣主，所有大臣都是遵从圣主旨意办事的。晚年的乾隆帝更是得意自满，在他的身边，只需要忠心办事、顺从皇帝的奴才。

伴君如伴虎，一旦触犯了皇上，那就是君要臣死、臣不得不死了，这是刘墉用亲身经验体会来的。早年他担任翰林院侍讲期间，其父刘统勋因办理军务失宜获罪，刘墉遭株连被革职，一家老少下狱，等候秋后处斩。不久，乾隆帝觉得处理有不妥当之处，便释放了刘统勋、刘墉父子，并恢复了他们的官位。这次无妄之灾给刘墉留下了极其深刻的印象，因此他事事揣摩乾隆帝的旨意行事。曾经有一个故事，说有一日，乾隆帝与刘墉闲谈，说：“朕今年45岁，属马的。”刘墉回答道：“臣也45岁，属驴的。”乾隆帝觉得惊奇：“既然同岁，为何朕属马，你属驴？”刘墉说道：“万岁属马，臣怎敢同属？只好属驴了。”

十二生肖中无“驴”之说，刘墉无中生有，乾隆帝非但不怪罪，反而觉得合情合理，大大嘉赏了他。这个故事多半是后人虚构出来的，然而从中可以看出，刘墉能够在官场站住脚的一个重要原因是：他懂得揣摩皇帝的心意，拍皇帝的马屁。

由此可见，历史上的刘墉与故事传说中的刘墉并不一致，那么他与和珅是不是像小说和影视作品中所描写的那样是忠奸对立的关系？他是否真的能将大贪官和珅戏弄于股掌之中？

刘墉与和珅的关系

刘墉比和珅大了30余岁，刘墉入朝为官时，和珅才刚刚出生。然而和珅的仕途平步青云，晋升的速度比刘墉快得多。两人同朝共事20多年间，他们之间的官职地位始终不平等。刘墉的官位远在和珅之下，受到的信任也远逊于他。可以毫不客气地说，要跟和珅斗，刘墉还不够格。

实际上，乾隆四十七年（1782），刘墉再度调回京时，和珅已是皇帝面前炙手可热的大红人。他明哲保身，对和珅采取了一种不依附、不对抗的态度，表现出一种圆滑世故。他有可能跟和珅开一些无伤大雅的玩笑，但

↑清·青花宝相轮花纹绶带耳葫芦扁瓶

绝对不会公开对抗。

不过刘墉在任官期间确实与和珅有过一次正面较量。乾隆四十七年（1782）四月，御史钱沣参劾山东巡抚国泰伙同布政使于易简贪赃枉法，并以向皇帝纳贡的名义大肆搜刮钱财，以致各州县仓库亏空。

国泰是乾隆帝妃子的伯父，与和珅往来密切。在钱沣参劾之前，国泰也被大学士阿桂、大将军福康安联名弹劾过。乾隆帝招来山东布政使于易简询问，谁知于易简和国泰是一伙的，于易简一口咬定国泰并无劣迹，只不过行事过于严厉。乾隆帝相信了于易简的话。后来钱沣又上书参劾，或许是过分相信于易简，或许是也想弄个水落石出，乾隆帝放手让人去查，下谕委派尚书和珅、左都御史刘墉、工部右侍郎诺穆亲为钦差大臣，与钱沣一同前往山东查办此事。

钱沣知道事态复杂，他一个人微服先行，前往山东秘密调查。和珅有意袒护国泰，暗中派人向他通风报信。国泰得知消息后，赶紧向商贾勒索钱银，存放在库中，暂时掩饰了亏空情况。在刘墉的提示下，钱沣发现库里的银两成色不纯，通过盘诘库吏得知，这些银两是从各商铺借来充数的。他出告示叫各商铺前来认领，如果不来认领，便将其银没收入库。于是商贾纷纷前来认领，库藏为之一空。此案真相大白，国泰和于易简下狱。六月初，乾隆帝勒令国泰、于易简在狱中自尽。

在这一案中，刘墉秉公行事，案子办得漂亮，却因此得罪了和珅，甚至也开罪了乾隆帝。嘉庆四年（1799）正月，乾隆帝驾崩，嘉庆帝立即向大贪官和珅开刀。刘墉奉旨查办和珅植党营私、擅权纳贿一案。为了避免案件扩大化，给朝廷带来过大的震荡，刘墉向嘉庆帝提议尽快了结此案。嘉庆帝接受了他的建议，在处死和珅的次日，发布上谕宣布此案已经完结，以此安抚人心。刘墉不以私人恩怨处理公务，赢得了朝中大臣的交口称赞。

嘉庆七年（1802），嘉庆帝驾幸热河，命刘墉留京主持朝政。刘墉处事条理分明，与他在乾隆朝时的懒散敷衍成了鲜明的对比。嘉庆九年(1804)十二月，刘墉卒于任上，享年85岁，谥号文清，入祀贤良祠。他的一生，将为官之道发挥得淋漓尽致，保全了身家性命，得以寿寝正终。

刘墉不仅是政治家，更是著名的书法家，他和成亲王永瑆、翁方纲、铁保合称为乾隆朝的四大书法家。他的书法融会历代诸大家书法而自成一体，用墨厚重，体丰骨劲，外柔内刚，别具一格。他尤善小楷，后人称赞他的小楷，不仅有钟繇、王羲之、颜真卿和苏轼的法度，还深得魏晋小楷的风致。刘墉执笔的方式非常奇特，酷似其为官之道，据说他在人前写字时，循规蹈矩，而在内室独自写字时，却不拘一格，随意疾书，兴致大发时，笔甚至脱手而飞。刘墉还满腹经纶，兼工文翰，博通百家经史，工书善文，著有《石庵诗集》刊行于世。

紫禁城里的洋画师

郎世宁为了信仰，不惜远渡重洋，迢迢千里来到中国，虽未能完成传教的任务，但他以自己的画笔在清代画坛中开辟了一片天地。这位来自异邦的画家，勤恳作画，见证了大清的康乾盛世，为中国与欧洲的文化艺术交流做出了独特的贡献。

异邦来的传教士

郎世宁原名朱塞佩·伽斯底里奥内（Giuseppe Castiglione），1688生于意大利米兰，19岁加入热那亚耶稣会。他对绘画有种由衷的热爱，曾为一些教堂绘制过圣母像、基督像等宗教画。

当时的欧洲天主教会视中国为一片广阔富饶而又缺乏信仰的传教之地，许多传教士为了传福音，自愿实现上帝的召唤，不顾艰辛前赴后继地前往中国，郎世宁就是其中的一员。

1714年5月4日，年仅26岁的郎世宁由耶稣会的葡萄牙传道部派遣前往中国，他经由大西洋，绕过好望角，渡过印度洋，于康熙五十四年（1715）七月到达澳门。按照当时欧洲传教士来华后取汉名的惯例，他也取了个“郎世宁”的汉名。

澳门是天主教在东方的传教中心，要进入中国内地，必须经由澳门，在此等待清政府的批准。在澳门停留了几个月后，郎世宁转赴广州，继而北上，同年十一月抵达北京，居住在紫禁城东华门外的天主教堂东堂。

康熙帝酷爱科学艺术，虽然不赞同外国传教士向中国百姓传教，也不认同他们的宗教，但他本人对传教士还是很有好感的，在他的周围，围绕着许多传教士，康熙帝将他们视为科学家和艺术家而倍加礼遇。

清宫中的洋画家

郎世宁来到北京后，为了接近统治者，便于传教，大约在康熙末年进入宫廷，成为了一名宫廷画家。当时清朝宫廷内有一个类似画院的机构，即如意馆，里面集中了许多画家、雕工等艺术工匠，郎世宁便是在如意馆供职，他是最早在清宫里供职的西洋画家之一。从此，郎世宁每日清晨从东华门附近的寓所步行进宫，七时向宫门禁卫报到，在一所位于御花园附近的画室内作画，直到下午五时出宫返家。除了绘画之外，他还修习满汉语言文字，尽力融入中国社会。

郎世宁在意大利学习的是油画技法，而清朝的皇帝大多不喜欢油画，尤其是不喜油画人物像，油画技法惯用的阴影在他们看来像画像上有疤痕黑斑似的。于是他开始学习使用矿物质颜料在绢上作画，在绘制人物画时，采取正面光照，避免由于侧面光线照射出现的强烈的明暗对比，并弱化处理脖子下、鼻子下的阴影，从而使人物面部清晰柔和，以符合中国人的欣赏趣味。

因无档案记录可查，目前尚未能得知郎世宁在康熙朝具体的绘画活动，现在看到他署有“臣”字落款的作品，最早是雍正元年（1723）所画。从此开始，直至乾隆三十一年（1766）他逝世，几乎每年都有关于他绘画活动的详细记录。

郎世宁富有异国情调的明暗画法令雍正帝啧啧称奇，大加赞扬。作于雍正元年(1723)的《聚瑞图》轴、雍正二年(1724)的《松献英芝图》轴和雍正六年(1728)的《百骏图》卷等画，具有浓厚鲜明的欧洲绘画风格和情调，也展示了他坚实的写实功底。他还根据雍正帝的旨意，向中国画家孙威凤、王玠、葛曙和永泰等人传授欧洲的油画技艺，为清代宫廷培养了许多贯通中西画艺的画师，并使宫廷绘画呈现出了中西合璧的特色。

雍正二年(1724)，雍正帝开始大规模扩建圆明园。郎世宁曾有一段时间长期住在圆明园里，绘制了许多装饰殿堂的绘画作品，其中有欧洲风格的油画，还有在平面上表现纵深立体效果的欧洲焦点透视画。

郎世宁在宫中创作了许多以当时重

↓马术图(局部)

郎世宁所绘《马术图》反映了当时乾隆帝率领文武官员和杜尔伯特部上层人物，在避暑山庄万树园观看马技的情景。

大历史事件为题材的历史画以及人物、肖像、花卉、鸟兽画，深得皇帝的喜爱和赏识。尽管如此，他也必须遵守作画前绘制稿本，待皇帝批准后再“照样准画”的清宫绘画制度。郎世宁除了在皇宫中作画外，与当时北京的满族贵族也多有交往，他和怡亲王允祥、果亲王允礼、慎郡王允禧等人关系密切，常为他们作画，有多件作品流传至今。此外，郎世宁和当时身为皇子的宝亲王弘历也有比较密切的接触。他还和曾任工部右侍郎的年希尧（年羹尧之兄）探讨过西洋的焦点透视画法，并由年希尧撰写成《视学》一书，这是中国第一部介绍欧洲焦点透视画法的著作。

宫廷画家生涯

郎世宁的作画高峰期是在乾隆朝。乾隆帝弘历登基时，他时年47岁，正处于作画技法成熟的巅峰。乾隆帝爱好书画诗文，重视宫廷绘画的发展，因此十分重用从康熙朝时便入宫的郎世宁，曾经有段时期内每日必去画室看郎世宁作画。乾隆帝比郎世宁小了20多岁，虽然名为君臣，但两人私交关系甚好，乾隆帝多次赏赐财物给郎世宁，让他为自己的后宫妃嫔作画，有时还会开这位不婚传教士的玩笑。

有一日，郎世宁觐见乾隆帝时，妃嫔环绕左右，他颇感局促不安。乾隆帝存心打趣，便问他：“你觉得她们之中谁最美？”郎世宁回答道：“皇上的妃嫔个个都美。”乾隆帝又追问：“昨天那几个妃嫔中，你觉得哪一个最美？”“臣没看她们，当时正在数宫殿上的瓷瓦。”郎世宁回答。乾隆帝故意追问：“瓷瓦有多少块？”郎世宁答道：“30块。”乾隆帝命人去数，果然不错。皇帝大笑，从此不再开此类的玩笑了。

郎世宁的作画技术高超，他融中西技法于一体，形成精细逼真又不失诗意清新的画风。他的绘画题材范围也很广泛，人物、肖像、走兽、花鸟、山水无不涉及，也无不精通，尤其以画马闻名于清代画坛，他以明暗来表示骏马的体积感和皮毛的质感，马匹逼真生动，立体感很强，画

↑嵩献英芝图

郎世宁所作《嵩献英芝图》画幅的左边为坡石，一条急湍的溪流顺势而下。画面正中是一只立于石上的白鹰，鹰目炯炯，利喙弯曲，鹰爪紧紧抓住石头。光线从左侧上方照射，白鹰刚好位于最显眼的中央，明暗交织，立体感极强，似呼之欲出。画面右边是一棵弯曲盘绕的老松，一株藤萝攀爬着松树枝干，凹凸玲珑有致。松树根部和石缝之间的灵芝，有厚度感。

于雍正六年（1728）的《百骏图》卷是他画马的代表作。

从乾隆元年（1736）开始，郎世宁等人陆续绘制了乾隆帝及其皇后、妃嫔的画像，即《乾隆帝及后妃图卷》，其中皇帝、皇后、令妃为郎世宁所绘，其余7人为郎世宁的弟子所画，最后3人是宫廷画师续画。这一图卷专供乾隆帝私人玩赏，不对外公开，平日密封于盒内，不准他人窃视此画，违者处死。

郎世宁还参与了巨幅历史画的创作，以乾隆帝在承德避暑山庄接见归附的蒙古族杜尔伯特部为题材的《马术图》、在避暑山庄万树园设宴接待杜尔伯特部的《万树园赐宴图》等画卷，场面恢宏，人物众多，为后人留下了宝贵的文献参考资料。

此外，郎世宁还与王致诚、艾启蒙、安德义等外国画家，绘制了《乾隆平定准部回部战图》铜板画的底稿，他不仅负责绘制，还用拉丁文和法文写下具体说明，是主要负责人之一。这套16幅的图稿后来运往法国巴黎镌刻成铜版刷印。遗憾的是当这套铜版组画从法国运回中国时，郎世宁已经病逝，没能亲眼见到这幅杰作。

郎世宁不仅在绘画方面有特殊天赋，在建筑方面也有独到理念，乾隆十二年(1747)前后，他和另外一些外国传教士参与了圆明园内长春园欧洲式样建筑物（俗称西洋楼）的设计。

乾隆二十二年（1757），郎世宁69岁，按照中国以虚岁计算年龄的习惯，恰好是70大寿。乾隆帝特地为他举行了隆重的祝寿仪式，赏赐甚丰，并亲笔书写了祝词。

郎世宁怀着传教的目的来到中国，却作为一名宫廷画师度过了一生。乾隆三十一年六月初十日(1766年7月16日)，郎世宁在北京病逝，终年78岁。

←百骏图(局部)

雍正六年(1728)郎世宁完成了巨作《百骏图》，堪称其画马的代表之作。这幅长卷画有100匹骏马，姿势各异，或立、或奔、或跪、或卧，形象生动，立体感强，可谓写尽骏马百态；画面的首尾各有牧者数人，控制着整个马群，体现了一种人与自然的和谐关系。

权倾朝野的"二皇帝"

《《《《 贪官 和珅

乾隆帝是一代明君，虽然他缔造了辉煌盛世，但也因宠信一代巨贪和珅而埋下了使帝国走向下坡路的伏笔。以乾隆帝之英明却能够容忍劣迹斑斑的和珅长达20多年，是君臣相得，还是另有隐情？和珅又是凭借什么得到皇帝非同寻常的信赖并且屡告不倒？

八旗才俊

和珅，生于乾隆十五年（1750），原名善保，钮祜禄氏，入学后改名为和珅。关于和珅的早年生活，《清史稿》的记载相当简略，只记载他"少贫无藉，为文生员"，因此有些学者认为和珅出身贫穷低微，是地位低下的内务府包衣(即奴仆)。

其实此说并不确切，和珅是满洲正红旗人，其父常保世袭三等轻车都尉，官至八旗副都统，至乾隆时兼任福建都统。史书之所以说和珅少贫无藉，有可能是因为和珅的父亲常保身为武将，常年征战在外，家里没有什么产业。乾隆二十五年（1760），常保病逝，家境顿时陷于窘迫。当时和珅年龄尚幼，还没到领兵饷的年纪，为了维持家计，他只好带着家中的仆人四处借钱，日子过得十分艰辛。幼年物质生活上的匮乏和遭受的世间冷暖，成为了和珅不断向上爬的动力，也是他无止尽的贪欲的根源。

和珅天资聪明，过目不忘，不仅能熟读四书五经，而且书法出色，他的满文、蒙古文、藏文和骑射也相当不错，这为他日后飞黄腾达打下了良好的基础。

乾隆三十二年（1767），18岁的和珅与英廉之孙女冯氏成婚。英廉原姓冯，内务府包衣汉军镶黄旗人，历任内务府大臣、正黄旗满洲都统等职。冯氏自幼失去双亲，英廉将孙女视为掌上明珠，一心想为她找一个称心如意的郎君。和珅没有一官半职，又家境窘迫，然而英廉慧眼识英才，看准这个八旗才俊必定有出头之日，便主动将孙女嫁给了他。后来的事实证明，英廉确实是有眼力的。

冯氏带来的嫁妆不仅是当时和珅急需的钱财和英廉在官场上的关系，还有和珅缺乏的家庭温暖。冯氏善良体贴，对和珅关心备至，两人成婚后，夫妻恩爱，一生中互敬互爱。嘉庆三年(1798)，冯氏去世，和珅伤心欲绝，为亡妻连作6首悼亡诗。

和珅的发迹史

乾隆三十四年（1769），和珅袭承三等轻车都尉世职。次年，他参加顺天府乡试，结果名落孙山。乾隆三十七年（1772），和珅被授为三等侍卫，在粘竿处当差。粘竿处侍卫经常随侍皇帝出巡，有接近皇帝的机会，从而给和珅提供了通往权力的道路。

粘竿处侍卫众多，三等侍卫只不过是个低等侍卫，和珅是通过什么机会接触乾隆帝并获得他的赏识？关于这个关键问题，根据历史记载，主要有以下几种说法：

一种说法是乾隆四十年（1775），乾隆帝出巡，和珅随驾出宫。乾隆帝在舆中阅读奏报，得知有要犯脱逃，心中微怒，吟诵《论语》中“虎兕出于柙”一句，侍卫们不知何意，茫然无所对。唯有和珅迅速对答道：“典守者不得辞其责耳。”意思是管理者应当负责。乾隆帝听了很高兴，问和珅：“读过《论语》？”和珅答道：“读过。”乾隆帝又问家世、年岁，和珅一一奏对。乾隆帝见他仪度俊雅、声音清亮、动作敏捷，十分赞赏，从此对他恩宠日隆。

另一种说法是乾隆帝驾幸山东时，喜欢乘坐一种骡子驾驭的小车，速度如飞。一日，碰巧和珅跟班，或许是闲来无事，乾隆帝便跟和珅闲聊起来。乾隆帝问和珅是什么出身。和珅答道他曾是咸安宫的学生。乾隆帝又问他是否参加过科举考试。和珅说曾参加过，不过没有考中。乾隆帝让他背出当初写的那篇文章。和珅一边跟着骡车行走一边背，一字不落地背诵出文章。乾隆说道：“你这篇文章是可以中选的。”这次偶然的谈话，便成为和珅政治生涯的转折点。

野史中还有一种离奇的说法，说和珅是雍正帝一个妃子的转世，与乾隆帝有一世之约。当初乾隆帝当皇子时，一日经过后宫，看到一个年轻的妃子在对镜梳妆打扮，模样惹人怜爱。乾隆帝玩心顿起，

↓恭王府正门

悄悄走过去捂住妃子的眼睛。妃子大受惊吓，顺手抓起梳子往后扔去，正中乾隆帝的额头。妃子转头后见是皇子，吓得发抖，乾隆帝好生安慰一番，发誓不对外人讲。谁知雍正皇后看到乾隆帝额头上的伤痕后，逼问出了缘由，当即大怒，赐死妃子。乾隆帝悔恨交加，返回妃子的住处。此时妃子还有最后一口气，乾隆帝指染朱砂，在妃子的后颈上印下痕迹，以求来世相见，弥补他犯下的错误。

几十年后，乾隆帝偶然看到和珅，觉得似曾相识，仔细回想之下，忆起和珅的容貌跟那个死去的妃子相似。他密召和珅觐见，令他靠近御座，俯视其颈，发现上面有个隐约的朱色指痕，始知和坤原来是妃子的转世，从此对他倍加宠爱。这个故事不过是民间野史，不过从中隐约透露出乾隆帝与和珅特殊的关系，清代男风盛行，乾隆帝心喜和珅年轻俊秀，对他有异样的好感也不无可能。

从此，和珅官运亨通，青云直上。其官阶之高，兼职之多，权势之大，为历代所罕有。

和珅受宠的原因

和珅头脑聪明，办事干练，虽然没有中过举，但才识过人，通晓多民族语言，能用藏、蒙等文字书撰写谕旨。乾隆四十五年（1780），和珅受旨远赴云南查办云贵总督李侍尧贪污案。他一到云南，首先审问李侍尧的管家，取得李侍尧贪污的证据，以此迫使李侍尧认罪。和珅从接受这个任务，到乾隆帝下旨处治李侍尧，前后只用了两个多月，办得迅速漂亮。

和珅还是个出色的外交人才，从乾隆四十五年（1780）起，他兼任理藩院尚书，利用精通多种语言的优势，将各种民族事务处理得妥妥当当。他还先后接待过朝鲜、英国、安南等国的使者，展现出了优秀的外交才华。乾隆五十八年（1793），英国使者马戛尔尼来华，和珅全权接待，他不卑不躬，既热情有礼，又不失泱泱大国的风范，给马戛尔尼留下了极深的印象。

和珅虽然精明能干，但朝中比他能干的大臣却也不少，论才华，和珅略有文采，但远谈不上是学富五车；论政绩，和珅也没有太大的作为；论武略，和珅更是浅疏。乾隆四十六年（1781），甘肃撒拉尔回民领袖苏四十三起义，乾隆帝令和珅与大学士阿桂奉旨统军征剿。阿桂正在督办河工，和珅先

↓恭王府大戏台

行，企图在阿桂到来之前镇压起义，独吞功劳。谁知他布置失措，大败而归。阿桂赶赴阵前，才挽回局势，

即便如此，乾隆帝对和珅的宠信仍是逐年益增，20多年经久不衰。如乾隆四十六年（1781）镇压甘肃回民起义一事，局势刚刚扭转，乾隆帝便将和珅调回来，由阿桂一人负责。他对阿桂毫无赏赐，反而对办事失当的和珅大加封赏。乾隆四十八年（1783），甘肃回民起义被镇压，乾隆帝将功劳全记在和珅账下，封和珅为一等男爵。

和珅靠什么赢得了乾隆帝的如此宠信？只有两个字：媚上。乾隆帝爱好书法，和珅刻意学习乾隆帝的书法，达到了以假乱真的地步，乾隆帝的许多诗匾题字都是和珅代笔的。和珅记忆力极强，反应敏捷，无论乾隆帝问什么，都能够对答如流，他还下苦功夫研究诗律，迎合乾隆帝喜欢附庸风雅、吟诗作对的爱好。

此外，和珅善长逢迎，时刻揣摩圣意，事事能先乾隆帝之所想，但从来不会自作主张，表现出比皇帝更为聪明的样子。他还善于敛财以供皇帝挥霍，创设了“议罪银”，让有过失的官员以交纳罚银来代替处罚，这些钱不入国库，而是交到内务府，成为乾隆帝的个人金库。

贪而不倒

和珅是有清一代最大的贪官，他生财有道，主要靠4种手段积累财富。

第一种手段是受贿。和珅是乾隆帝面前的红人，他向皇帝说一句话，抵过别人说万句，而且他身兼数职，是许多部门的顶头上司，在人事调动上有发言权。因此，向他行贿的官员难以数计，而他一向是来者不拒，多多益善。

第二种手段是贪污。和珅兼任着许多富得流油的肥缺，从中克扣公款不知多少。

↑恭王府花园诗画舫

每到一处即拖延时间，让官员有机会互相借钱填补亏空，以致尹壮图因“污蔑”大臣丢了官。

和珅屡告不倒，靠的自然是他的后台乾隆帝。他深知，只要牢牢地靠上了皇帝这棵参天大树，谁参也参不倒。其实，对于他的所作所为，乾隆帝也不是完全被蒙在鼓里，多少有所察觉。乾隆四十七年（1782），和珅办理甘肃镇迪道巴彦岱受贿徇私一案时，因为重罪轻判，受到降三级留任的处分，其后，和珅又因失察、包庇贪官等罪名受到降职或调任。然而每次处分不久，和珅都很快官复原职。

和珅贪欲膨胀，成为一代巨贪，与乾隆帝的包庇不无关系。而乾隆帝之所以包庇和珅，一来是宠信他，二来和珅所聚集的财富，有一部分是供皇帝享用的。所以乾隆帝也是睁一只眼闭一只眼。

第三种手段是向百官勒索，从32岁起，和珅担任吏部尚书，吏部是掌管人事的部门，凡是职务调动都需要经过他的批准。和珅是雁过拔毛，向文武百官敲诈。

第四种手段是商业经营。他颇有经济头脑，也不像其他官员一样耻于与商人为伍，他不仅亲近商人，还当起了商人，开当铺、古玩铺、瓷器店、粮店、弓箭铺等，几乎各行各业都有他的投资参与。

和珅贪得无厌，朝中大臣多次弹劾，但都被他用计谋给掩饰过去了。乾隆五十一年（1786），御史曹锡宝参劾和珅家人刘全，试图以此打开缺口。上奏之前，其奏折内容被同乡泄漏。和珅得知后，事先根据内容做好准备，在乾隆帝面前对答如流，曹锡宝反而被革职留用。内阁学士尹壮图弹劾各省大臣亏空公款，导致库存银两不足，乾隆帝派尹壮图和户部侍郎庆成到地方核查。庆成受和珅指使，

巨鳄大贪的末日

乾隆帝退位后，仍然以训政的名义掌握大权。此时他已经上了年纪，又患上了健忘症，对和珅更加依赖。对仍掌控实权的太上皇，和珅倍加奉承，对嘉庆帝，他则采取了讨好又限制的策略。他一边向嘉庆帝献殷勤，另一边又在其身边安插

耳目，并不时向乾隆帝告状。嘉庆元年（1796），乾隆帝召嘉庆帝的老师朱珪回京，升任大学士。嘉庆帝写诗向老师表示祝贺。和珅向乾隆帝告状，说嘉庆帝施恩臣属，把太上皇对朱珪的恩典，算到自己身上。结果朱珪从两广总督降为安徽巡抚。嘉庆帝吃了许多次暗亏，对和珅恨之入骨。

在这种情况下，嘉庆帝明智地采取了韬光养晦的政策，一边紧盯和珅的所作所为，一边在表面上对和珅极度信任，稳住了和珅。

嘉庆四年（1799）正月初三日，乾隆帝崩于养心殿。嘉庆帝在办理丧事期间便迫不及待地对和珅开刀，他首先解除了和珅同伙福长安的军机处大臣职务，并令和珅与福长安昼夜守灵，不得擅离，斩断和珅的羽翼。其次，他暗示大臣上奏弹劾和珅。正月初五，给事中王念孙等官员上疏，弹劾和珅弄权舞弊。经过迅速的调查审理后，初八，嘉庆帝将和珅革职，逮捕入狱。

十八日，嘉庆帝宣布和珅犯下20条大罪，罪该凌迟处死，考虑到和珅是先帝的重臣，为了朝廷体面，赐他自裁。当天，嘉庆帝派大臣前往和珅囚禁处，赐他白绫一条。和珅自知死罪难免，悬梁自尽。

为了安抚人心，嘉庆帝只对和珅的主要党羽给予了处分，其他由和珅保举升官者或给和珅送贿者，概不追究。在短短的15天内，嘉庆帝迅速惩治了和珅，干净利索，宽严适当。

和珅被抄家时，抄出了多少财产？关于这个问题，说法不定，甚至出入很大。据说单单是抄家时，便抄出了藏金84 000多两，地窖藏银100万两，每个一千两重的银元宝500个，金元宝100个。除此之外和珅还有银号10处，当铺10处以及难以估价的房产、珠宝、玉器、古玩、皮草等。和珅的财产共分为109类，其中有83类未曾估价。其总家产折合白银，有的说约1 000万两，有的说2 000万两，有的说达到了8亿两，而当时清朝国库总收入仅为7 000万两。和珅财产的数量和流向至今仍然未能弄清，其中应该有大部分落入嘉庆帝私囊，于是民间有了“和珅跌倒，嘉庆吃饱”的谚语。

恭王府

和珅穷奢极欲，他在北京什刹海畔，建造起豪华宅第，也就是恭王府的前身。府第金碧辉煌，亭台楼阁清雅，甚至仿建紫禁城的宁寿宫，建筑金丝楠木阁楼，称为锡晋斋。他还违制修建垂花门和皇宫专用的宫灯、多宝阁等。

和府落成之后，王公贵族、大臣皆艳羡不已，嘉庆帝的弟弟庆僖亲王永璘曾对兄长说道，就算皇位多如雨滴，也不会滴到自己的头上，只是请求诸位兄长见怜，将和珅的邸第赐给他居住便心满意足了。和珅获罪后，嘉庆帝果然将和府的一半赏赐给永璘，称庆亲王府。后来咸丰帝将庆王府收回，转赐其弟奕䜣，是为恭王府。今日，恭王府是北京一处著名的旅游景点。

一代鸿儒

〈〈〈〈 纪晓岚

纪晓岚不是清廉无畏的勇士，也不是唯唯诺诺的奴才，他只是个渴望过清静文人生活却又不能逃离浑浊官场的士大夫。他圆滑谨慎，空有满腹经纶，却不愿立志著书。他如癫似狂，以在常人看来非同寻常的行径来抗议皇权的压迫。

纪昀，字晓岚，直隶河间献县（今河北沧县）人，生于雍正二年（1724）。其父纪容舒历任户部、刑部属官，曾外放云南姚安知府，颇有政绩，长于考据之学，著有《唐韵考》等书。纪家历代注重读书，流传下来一条“贫莫断书香”的遗训。纪晓岚4岁开始读书，11岁随父入京，他天资颖悟，才华过人，幼年即有“神童”之誉。他20岁中秀才，23岁应顺天府乡试，为解元，30岁中进士，入翰林院为庶吉士，从此开始了官宦生涯。

纪晓岚的相貌

在民间故事传说和影视作品中，纪晓岚被塑造成才华横溢、风流倜傥、幽默风趣的形象，屡屡以文采和诙谐嘲弄和珅，并且每次都能避开和珅的报复。

纪晓岚才华横溢不假，但他的相貌却与风流倜傥的形象大相径庭。据历史记载，纪晓岚貌丑、近视、肥胖且口吃。

乾隆五十年（1785），大学士阿桂的姻亲海升殴打其妻吴雅氏致死，却谎报吴雅氏自缢身亡。乾隆帝派时任左都御史的纪晓岚前去验查，证明是自缢。吴雅氏之弟不服，继续上告。乾隆帝又派阿桂、和珅复查，发现脖子上没有缢痕。结果阿桂被罚俸5年，对于纪晓岚，乾隆说“纪昀本系无用腐儒，原不足具事，况伊于刑名事件素非谙悉，且目系短视，于检验时未能详悉阅看”，以他不熟悉事务又是近视为名为其开脱。既然是皇帝亲口所言，那么纪晓岚视力有问题应是确定无疑。

笔记小说还记载，纪晓岚平时只吃猪肉，很少吃五谷杂粮，每顿动辄吃掉上10盘猪肉，肉吃得多，平常又多坐着看书，很少运动，因此他是个胖子也不足为奇了。纪晓岚不仅是个近视眼、胖子，还患有口吃的毛病，嘉庆帝的老师、与纪晓岚交游数十年的朱珪曾写诗描述纪晓岚：

河间宗伯姹，口吃善著书。

沉浸四库间，提要万卷录。

如此说来，纪晓岚是个形象十分不堪的人，然而还不能就此下结论。封建社会里，选拔官员的标准是“身、言、书、判”，要想参加科举考试，最起码也要符合这四项标准。纪晓岚既然是进士出身，必然也会达到基本标准。而且他是以机智诙谐出名的，如果纪晓岚口吃得厉害，想来说话也不会令人发笑了。

那为什么说纪晓岚貌丑口吃呢？这很有可能是相对而言的，乾隆帝喜欢英俊的臣子，他身边的重臣和珅、董诰、福长安等都是有名的美男子，与他们一比，原本样貌还算过得去的纪晓岚便属于“貌丑”一类的了。至于口吃，纪晓岚可能是有，不过并不严重，要不然也不能入朝为官了。

纪晓岚和乾隆帝

纪晓岚与乾隆帝的关系绝不像民间故事里描述的那般君臣相得，乾隆帝是个很注重相貌的人，纪晓岚不出色的外表注定了他得不到皇帝的重用。对于纪晓岚的才华，乾隆帝是比较欣赏的，但对他来说，纪晓岚只能当个词臣、弄臣，别说重臣，就是个能臣也称不上。

↓纪晓岚故居阅微草堂遗址

阅微草堂门口的这棵紫藤萝为纪晓岚当年所栽，至今仍满目葱茏。

首先，纪晓岚是个汉人，而且长相一般，还带着腐儒的酸味。清代笔记小说中提及纪晓岚，提的最多的是他的诙谐，他的诙谐甚至到了尖酸刻薄的程度。牛应之的《雨窗消意录》说："纪文达公昀，喜诙谐，朝士多遭辱弄。"侮辱嘲弄可不是仅仅开开玩笑而已。而且从流传至今的几则小故事中，也可看出纪晓岚刻薄的性格。

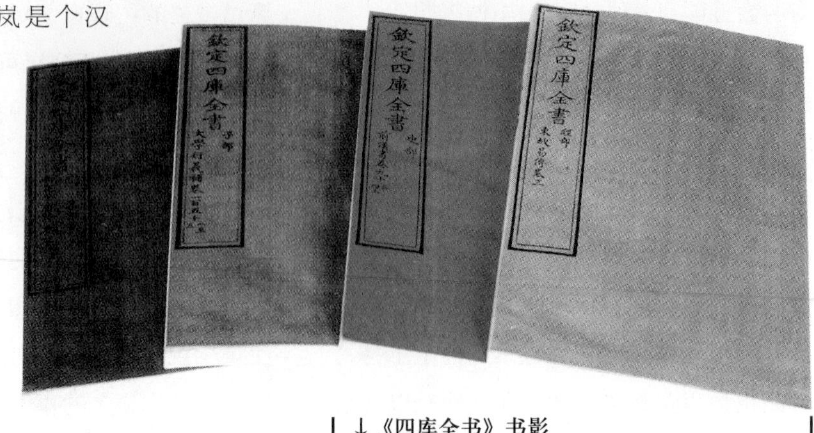

↓《四库全书》书影

《四库全书》对中国古典文献的保存与流传起到了积极作用，它打破了中国历代私人藏书珍藏而不流通的陋习，同时，通过辑佚，使许多失传已久的珍籍得以重新面世。因此，《四库全书》的编定，是中国学术文化史上规模空前的一项盛举。

纪晓岚的幽默众所周知，有日退朝，一个太监拉住纪晓岚，想听他讲笑话。纪晓岚说道："从前有个太监……"说了一半就不说了。太监等了老半天，也没等到他继续往下讲，便催道："下面呢？"纪晓岚扫了太监下半身一眼，答道："下面没有了。"拿太监的生理缺陷开玩笑，未免有些过分了。不仅是太监，连大臣他也敢打趣。在乾隆帝面前，纪晓岚自然是不敢开这种玩笑，但有些人会在皇帝面前嚼舌，无论是笑话也好，有心中伤也好，乾隆帝听起来总觉得有点不以为然，认为他没有器量。

其次，纪晓岚虽富有文采，办事却不干练，从他处理海升殴打其妻吴雅氏致死一案便可看出。因此在为官50余载中，乾隆帝多委任他主持科举和编修图书，他曾2次为乡试考官，6次为文武会试考官。他主持编修的次数更多，先后做过武英殿纂修官、三通馆纂修官、国史馆总纂官、方略馆总校官、四库全书馆总纂官等。这也算乾隆帝量才而用的一个体现吧。

乾隆帝可以容忍纪晓岚卖弄文采，甚至以欣赏的态度观之，但在他的心目中，纪晓岚只是个陪侍他吟诗作对的词臣。乾隆五十五年（1790），内阁学士尹壮图弹劾各省大臣亏空公款。乾隆帝派尹壮图和户部侍郎庆成到地方核查。在和珅的包庇指使下，尹壮图一无所获，反而因污蔑罪失官，还险些丢了性命。纪晓岚为尹壮图求情，却被乾隆帝毫不留情地训斥："朕以你文学优长，故使领四库书，实不过以倡优蓄之，尔何妄谈国事！"原来乾隆帝不过是将纪晓岚视为解闷的戏子之流，这对一个有独立人格的文士来说，无疑是个巨大的侮辱。

由此可见，乾隆帝和纪晓岚之间虽然

有时会出现互相唱和、其乐融融的情形，但本质上，仍然是主子和奴仆的关系。

官场上的落魄者

乾隆三十三年（1768）六月，两淮盐政卢见曾因营私贪污被革职查办。纪晓岚和卢见曾是儿女亲家，纪晓岚的长女嫁给了卢见曾的孙子。纪晓岚事先得了消息，于是给卢见曾通风报信，事发后被革去官职，并发配新疆充军。

纪晓岚在新疆待了两年多，如果不是乾隆帝找人编撰《四库全书》，他很可能会在边疆度过下半生。乾隆三十五年（1770），纪晓岚回到了北京。

此次回到北京，纪晓岚的锐气被磨去不少，对官场黑暗不再抗争，而是采取一种消极无为的态度。不久后和珅崛起，成为乾隆帝面前炙手可热的红人。对于气焰嚣张的和珅，与刘墉一样，纪晓岚采取明哲保身的做法，既不附和，也不作对，不是影视作品中那样与和珅事事作对。纪晓岚的好友、御史曹锡宝想弹劾和珅，他只是以诗相劝。曹锡宝弹劾失败，乾隆帝大怒，要将曹锡宝治罪。纪晓岚不再像上次救卢见曾一样为好友尽心尽力，而是在乾隆帝面前竭力表白，脱清与此事的干系，却反而让乾隆帝觉得他正是幕后指使者。

有志不得展

纪晓岚一生著作甚多，既有主持编撰的《四库全书》，也有耗尽他半生精力写成的《四库全书总目提要》，还有笔记体小说《阅微草堂》等。然而当时人却认为他平生不著书。确实，以他的才华来说，他在这方面的成就太少了。

其实他之所以没有潜心立著，很大程度是因为当时的社会政治背景。乾隆帝对文人采取的是高压文化政策，文字狱频频兴起，许多文人因为莫须有的罪名丢掉了脑袋，这给纪晓岚带来了严重的思想冲击。为官多年，他深知君心难测。在主持编纂《四库全书》期间，纪晓岚亲眼见到许多著作因政治问题被禁毁或篡改，也耳闻目睹了许多文字狱的惨状。

为了保全自身和家族，纪晓岚不得不谨慎为人，甚至放弃了立著的念头。在这一过程中，纪晓岚被高压皇权从心理上“阉割”了，此后他只能做一个供主子取乐的词臣，他的才情只剩下给皇帝写几首赞词或俏皮地挖苦取笑同僚的地步了。

纪晓岚和《永乐大典》

康熙年间，人们在紫禁城皇史宬中发现了《永乐大典》。但到了乾隆年间时，随着知情者的故去，少有人知其下落，甚至很多人认为它已经毁于战火之中。

据说《永乐大典》的发现有纪晓岚的功劳，纪晓岚好色贪食肉是出了名的，翰林王文治与他开玩笑，让他斋戒三日，祈求神明指点。这本是玩笑之语，没想到纪晓岚真的依言行事，斋戒了三日。更令人没有料到的是，就在他斋戒后的几日，太监在宫中找到了尘封多年的《永乐大典》抄本。

军机大臣的坎坷仕途

恭亲王奕䜣

奕䜣历经咸丰、同治、光绪三朝，是名王重臣。他倡导洋务运动，尽心尽力挽救大清日渐衰败的局势，迎来了同治中兴。然而他的从政生涯坎坷曲折，几次执政，又几度被罢黜，最终只能臣服于慈禧太后的意志之下。

争夺皇位的失败者

恭亲王奕䜣是道光帝的第六子，生于道光十二年（1833）。他为人精明能干，生于乱世却锐意革新，使衰落的清王朝一度呈现出“中兴”的气象，因而被尊为“贤王”，然而这位聪明且富有才略的恭亲王最终仍然是位权力斗争的失败者。

身为皇子时，天资聪明的奕䜣就受到道光帝宠爱，他的兄长奕詝虽然是嫡子，却平庸无能。奕䜣本来很有可能问鼎帝位，但没有料到奕詝有个好老师杜受田。杜受田老谋深算，精通权力斗争，他认为奕詝既然无才，便要从“德”上入手。在杜受田的指导下，奕詝处处表现出仁孝，相比之下，奕䜣便显得咄咄逼人了。道光帝最终选择了奕詝，即后来的咸丰帝。在国势危急的情况下，道光帝从所谓的“仁”出发，选择庸碌的奕詝作为储君，不得不说是一个极大的失误。

咸丰元年（1851），奕詝继位，封奕䜣为恭亲王。同年，洪秀全等人在广西金田发动了太平天国起义。咸丰三年（1853），林凤祥、李开芳率太平军北伐，直逼北京。清廷震动，咸丰帝诏令奕䜣成立京城巡防处，尔后又令其担任军机大臣。

在这段时期，咸丰帝奕詝和奕䜣的兄弟情谊还算是比较和睦的，但是随着奕䜣生母康慈太贵妃的去世，两人的关系逐渐破裂。咸丰帝10岁时，其生母孝全成皇后过世，由于他年龄尚幼，无人照料，道光帝便令奕䜣的生母静贵妃抚养之。咸丰帝继位后，尊静贵妃为康慈太贵妃。康慈太贵妃原以为自己亲自抚养过咸丰帝，能够得到皇太后的尊号，然而咸丰帝却无此意，这令康慈太贵妃颇为遗憾。咸丰五年

（1855），康慈太贵妃病重。奕䜣了解母亲的心病，跪求咸丰帝为母亲上皇太后的尊号。咸丰帝不置可否，“哦、哦”搪塞过去，谁知奕䜣却以为是同意晋封，便向军机处传达旨意。礼部于是奏请尊皇太贵妃为康慈皇太后。

兄弟失和

咸丰帝骑虎难下，不得不准奏了这件事，然而他心中颇为不快，认为奕䜣是故意要挟自己。康慈皇太后的丧事刚刚料理完毕，越想越恨的咸丰帝便以奕䜣办理皇太后丧仪失当为借口，免去了他的军机大臣、宗人府宗令、正黄旗满洲都统等职务。尽管此后咸丰帝又授予了奕䜣都统、内大臣等职，但兄弟两人心中已存了芥蒂，终其一朝，奕䜣再也没有得到咸丰帝的信任和重用。

咸丰十年（1860），英法联军入侵北京，咸丰帝将与联军议和的任务交给恭亲王奕䜣后，便仓皇带着后妃、大臣逃往避暑山庄。英法联军四处烧杀掠夺，奕䜣处境危险。虽然奕䜣没有与洋人打交道的经历，也只能硬着头皮与洋人议和。

咸丰帝逃往避暑山庄后，不愿回京，整日在山庄中花天酒地，麻痹自己，不久身体健康即告危。得知皇帝病重后，奕䜣上奏请求前来省疾。当时有谣言说奕䜣留守在北京，颇有不臣之心。咸丰帝已是病入膏肓，仍撑着最后一口气说：“相见徒增伤感，不必来觐。”他临终前授命的顾命大臣，也没有奕䜣的份，看来两兄弟的心结直至咸丰帝死也没有解开。

顾命八大臣有意将两宫皇太后和恭亲王奕䜣排斥在政权之外，这引起了慈禧太

↓军机大臣的奏折
现存于北京故宫博物院。

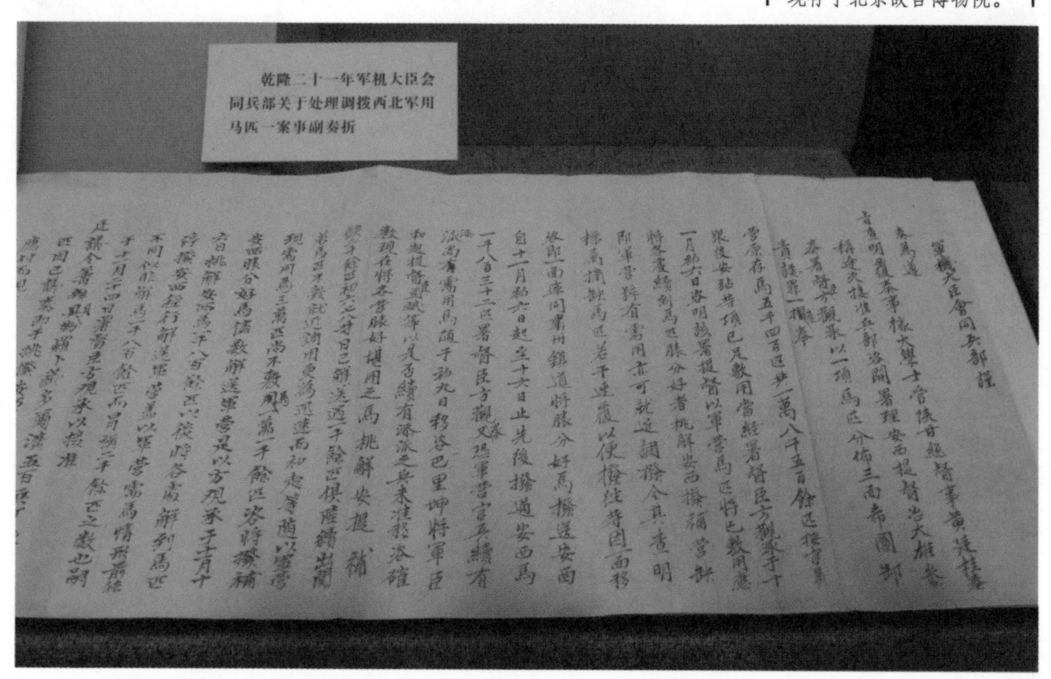

后和奕䜣的不满。慈安、慈禧太后急召奕䜣来避暑山庄，密谋联手发动了“辛酉政变”。此后，两宫太后垂帘听政，奕䜣也从中获益，被晋升为议政王、领班军机大臣，总理朝政。

首次被黜

起初，在政治上慈禧太后和奕䜣颇为相得，慈禧太后需要借助奕䜣的能力挽救国家危局，而奕䜣也可以凭借慈禧太后的支持大展拳脚，施展抱负。然而不久，两人的关系出现了矛盾，奕䜣为人自视甚高，商议政事时常挺身而出质疑太后旨意。慈禧太后心高气盛，对奕䜣的质疑顶撞逐渐感到不满，随着局势的稳定，她开始密谋除掉奕䜣，自己独揽大权。

在慈禧太后执政期间，恭亲王奕䜣三度被黜。第一次是同治四年（1865），编修蔡寿祺弹劾奕䜣揽权纳贿，徇私骄盈。慈禧太后召来奕䜣说道：“有人弹劾你。”奕䜣不谢罪，反而问告者何人。慈禧太后答曰：“蔡寿祺。”奕䜣失声道：“蔡寿祺不是好人！”

慈禧太后大怒，以同治帝的名义下谕旨免去恭亲王奕䜣议政王以及其他一切职务。朝中少了奕䜣，顿时没有了主心骨，外国大使也纷纷跑到总理衙门提出质问。清廷惶恐，在朝中大臣的求情下，根基不稳的慈禧太后被迫让步，准许奕䜣在内廷行走，并管理总理各国事务衙门，但免去了议政王和军机大臣的职务。

↓紫禁城
始建于明永乐四年（1406），历经明、清两朝24位皇帝。

同治八年（1869），慈禧太后宠信的太监安德海出宫前往苏州采办龙袍。安德海一路横行霸道，行至山东德州时，山东巡抚丁宝祯以安姓太监“自称奉旨差遣，招摇煽惑，真伪不辨”为由上报朝廷。

奕䜣一向对太监扰政甚为厌恶，在慈安太后的支持下，不待慈禧同意，便令军机大臣拟旨，将安德海就地处死。一个小太监的命算不得什么，但是慈禧是“谁叫我一时不痛快，我就叫他一辈子不痛快”的人，自此她对奕䜣更加忿恨。

再度受挫

同治十二年（1873），同治帝宣布亲政，他提出修建被英法联军烧毁的圆明园，用以给慈禧太后安度晚年。圆明园修建工程庞大，耗资甚多，奕䜣等人请求觐见同治帝。同治帝先是拒绝接见，三番两次后，才迫不得已接见群臣。奕䜣上奏，请求停止修园。同治帝看了几行字后，便不耐烦地说道：“我停工何如？尔等还有何饶舌？”奕䜣回奏：“臣等所奏尚多，不止停工一事，容臣宣奏。”于是一一奏读，其中涉及同治帝微服出行一事。同治帝大怒：“此位让汝，何如？”奕䜣不敢再奏。

几日后，同治帝召见奕䜣，询问他出行一事如何得知。奕䜣答道：“臣子载澂。”同治帝脸面尽失，由此怨恨载澂，并迁怒奕䜣。他以“召对时言语失仪”为由，革去奕䜣的职务，降为不入八分辅国公，因遭到众大臣的反对，改为革去亲王，降为郡王。此事完全是同治帝意气用事之下的产物，慈禧虽然对奕䜣不满，但也知道事情轻重缓急。据说她召见了同治帝，一边垂泪，一边教训皇帝。不过几日，同治帝再次颁布旨意，恢复奕䜣的亲王爵位，一场风波即告平息。

权力的放逐者

光绪十年（1884），法国侵略越南。以恭亲王奕䜣为首的军机处对是战是和拿不定主意，未能把握时机，而军机大臣安排在广西、云南两省担任领兵作战的巡抚大员都是无能之辈，以致清军在前线溃败。同年三月，慈禧太后借口奕䜣“委靡因循”免去他的一切职务，并将其势力一并逐出军机处。同时，她下令礼亲王世铎主持军机处，庆郡王奕劻主持总理衙门，吩咐如有重大事件，先与光绪帝生父醇亲王商议。此次军机处的重大改组，因发生在甲申年，故而史称“甲申易枢”。

权力场上的大起大落，令奕䜣心灰意冷，他自此远离朝政，以养病为名躲到北京西山的戒台寺，一直隐居了10年。

光绪二十年（1894），中日甲午战争爆发，国势危急。在如此紧急的情况下，奕䜣被召回起用为总理衙门大臣。然而，反复浮沉磨平了奕䜣往日的棱角，也挫败了他的锐气，往日的“贤王”已经变得暮气沉沉，毫无作为了。

光绪二十四年（1898），奕䜣病故，终年67岁，谥为“忠”，配享太庙，入祀贤良祠。

一呼百应震湘军

〈〈〈〈 名将 曾国藩

19世纪，骄傲自满的大清帝国的国门被西方列强用坚船利炮蛮横地打开，从此开始了长达一个世纪的屈辱历史。乱世出奸贼，也出名将重臣，曾国藩便是其中之一。

书生将领

曾国藩，湖南人，生于嘉庆十六年（1811）。他的家世并不显赫，祖辈以务农为主，生活算是宽裕。曾国藩自幼天资聪明，勤奋好学，熟读四书五经。曾国藩的进学之路颇为顺利，他23岁中秀才，24岁中举人，28岁考中进士，从此他官运亨通，短短10年间7度升迁，由翰林至侍读、侍讲、内阁学士、礼部右侍郎，兼署兵部左侍郎，又兼工部左侍郎、刑部左侍郎、吏部左侍郎。六部之中，除了户部，他兼了五部，可谓是位高权重。

咸丰二年（1852），太平天国运动的声势逐渐壮大，突破了广西的边界，向全国发展，武汉等城市陆续被攻破，清廷倚仗的绿营军不堪一击，多溃败而逃。

↑曾国藩像

在此种危急情况下，清廷谕令各省加紧团练，抵抗太平天国军队。所谓团练，指的是地方乡绅自行征集壮丁编制成团，施以军事训练，用以捍御盗匪、保卫乡土的武装。咸丰三年（1853）一月，曾国藩被任命为湖南团练大臣。

对于朝廷的这个任命，曾国藩曾经犹豫过，他只不过是个文官，顶多是读过几本兵书，对带兵操练一无所知，如何能胜任此职？但是在好友和幼弟曾国荃的支持下，他决定弃笔从戎，以实现“澄清天下”的大志。当时湖南各地皆有“勇”，“勇”是非正式的军事组织，若遇战事，八旗兵和绿营兵不足时，即组织起用，战事完毕后就地解散，湖南比较出名的有湘勇、楚勇、辰勇、宝勇以及沪溪勇等。在湖南巡抚张亮基的全力支持下，曾国藩将各地团练调集长沙，改为官勇，由巡抚和团练大臣指挥，统一补给粮食枪炮，统称“大团”。

练军有方

起初，曾国藩在长沙编练湘军并不是一帆风顺的，支持他的湖南巡抚张亮基等人离任后，当地的官员从中作梗，挑动标兵与湘勇仇杀械斗，连他的寓所也被冲击，恶劣的情况直到继任巡抚骆秉章来了之后才有所转变。

曾国藩既然接下了团练的重任，便下定决心尽力练兵，他对八旗军和绿营军的腐败看得十分清楚，深知是世袭制的陈旧腐朽所致，故改世兵制为募兵制，他很注重兵源，主要招募强健朴实的壮丁，不招收营兵，也不招收奸诈狡猾之徒。他本身是理学家，因此重用士人，任用儒生担任将领。他提出湘军将领要有几条标准，一是才堪治民，二要不怕死，三是不能贪图名利，四是要耐受辛苦。

曾国藩虽是书生，但是在官场中浸染多年，自然也知道钱能使鬼推磨的道理。他增加兵饷，湘军每月饷银是绿营兵的三四倍，并统一发放兵饷，从不克扣。如此一来，人们纷纷要求从军。曾国藩不仅以利诱之，还注意加强军队的自律性。每逢军队操演，他都要亲自训话，强调军纪要严明，命令官兵不得骚扰百姓，还自撰了《爱民歌》，以歌谣的形式向将士宣传军民同心。

曾国藩颇具有战略眼光，他不仅加紧锻炼陆军，还注意组建一支强有力的水军。咸丰三年（1853）秋，他编练水师的计划得到咸丰帝的批准，湘军规模改为编练水陆各5 000人。此后，曾国藩离开长沙，前往衡州组建水师，于衡州、湘潭设立造船厂，赶制战船，配置洋炮。到了第二年年初，衡州、湘潭造船厂所造的战船全部竣工，共计大小战船470余只，湘军水师初具规模。

人生顶点

在太平军巨大声势的影响下，湖南不少地区受到官僚地主双重压迫的农民趁机起事，曾国藩采取了铁腕高压政策，残酷镇压起事农民，凡是反抗之人，立即处

↑清·金嵌松石铃形佛塔

| ↑曾国藩手迹 |

决或毙之杖下。他杀人甚多，得了“曾剃头”、“曾屠户”的诨号。据说，民间小孩夜哭，妈妈一说“曾剃头来了”，小孩便吓得不敢再哭。

咸丰四年（1854）三月，曾国藩亲率水师与太平军在湘阴南面的靖港展开大战，结果湘军惨败。曾国藩愤不欲生，投水自杀，被其左右救起。其后，曾国藩重整军势，夺回岳州，攻陷湖北省城武昌。咸丰帝大喜，赏赐他二品顶戴，并任命他为湖北巡抚。曾国藩辞谢，清廷也唯恐其势大，便顺水推舟将其解任，命令他以兵部侍郎的名义，督军攻打太平军。咸丰五年（1855）初，湘军进攻江西九江、湖口，被太平军重创，退守南昌。曾国藩亲率水军与太平军展开湖口大战，惨败而归。

绿营军被太平军给予毁灭性打击后，湘军成为清廷镇压太平军的主力部队。虽然湘军远不是太平军的对手，但其作风顽强，屡战屡败，屡败屡战。与此同时，太平天国内讧也成就了曾国藩。天京变乱后，太平天国元气大伤，太平军四分五裂，给湘军可乘之机。

咸丰九年（1859）九月，曾国藩之弟曾国荃攻陷安庆。同年十一月，曾国藩加太子少保衔，奉命统辖江苏、安徽、江西、浙江四省军务。咸丰十年（1860），他向朝廷举荐左宗棠督办浙江军务、李鸿章出任江苏巡抚。同治元年（1862），以安庆为大本营，曾国藩命曾国荃部沿江东下，直逼天京（南京）；命左宗棠部自江西进攻浙江；命李鸿章部自上海进攻苏南，对太平天国实行战略包围。同年十月，湘军围困天京。同治三年（1864）七月，攻破天京。朝廷褒功，封曾国藩为一等侯，成为清代以文人封武侯的第一人。

无奈的选择

曾国藩的声誉达到了极点，“中兴

名将”、“旷代名臣”的溢美之词纷至沓来。但是他没有被冲昏头脑，反而敏锐地察觉到了危机。曾国藩与朝廷的君臣斗法从任命他为湖北巡抚，旋即解任一事起已经开始了。几度交手中，他和清廷呈双赢局面，他保存了自己的实力，清廷也借助湘军的力量消灭了太平军。他深知，在镇压太平军后，朝廷的下个矛头会转而对准他，历史上兔死狗烹的事例并不在少数。

此时的曾国藩拥有10万湘军，名声大噪，当时几支能作战的军队，例如李鸿章的淮军都与湘军有着紧密的联系，军中将领与曾国藩不是师生便是同乡关系。

在这种情况下，曾国藩拥兵自立并不是不可能的事情。事实上，清客王闿运和曾国荃曾向他进言。虽然这不是第一次有人劝说他自立为王，但是这一次曾国藩听闻后并不像以往那样勃然大怒，而是陷入了沉思。经过再三考虑，他最终决定主动奏请裁撤部分湘军，以解朝廷之猜疑，他还代替进入天京后大肆掠夺的曾国荃上折请求开缺回家养病，以求保全弟弟的性命。曾国藩做出这一决定是他反复考虑后的结果，一来他深知自己虽握有兵权，但是羽翼未丰，李鸿章、左宗棠、胡林翼等人不一定支持他，而且当时蒙古亲王僧格林沁带领的军队骁勇善战，是清廷的一支重要军队。僧格林沁忠于大清，一旦起兵，两军交战，胜负难说；二来是他的忠君思想起了决定性作用，他自感身受皇恩浩荡，断然不能做出不忠之事。在这种情况下，他写下了“倚天照海花无数，流水高山心自知”，以表白他的忠诚之心。

小心谨慎的曾国藩激流急退，没有做成吴三桂，也避免了身首异处的结局。然而他始终是清廷喉咙里的一根刺，在他的后半生，朝廷对他的打击不断。

太平天国失败后，捻军起义成为了清廷的最大威胁。曾国藩督办直隶、山东、河南三省军务，带领湘军和淮军，剿灭捻军。同治五年（1866），他因围剿不力被清廷撤免钦差大臣，由李鸿章继任。

同治九年（1870），天津发生教案，曾国藩奉命查办，因屈从法国势力，处决、遣戍官民数十人，并遣派官员到法国赔礼道歉。如此屈辱外交，受到了朝野舆论的谴责，他因而名声扫地。

同治十一年（1872），曾国藩病故，清廷上谥号“文正”。文正是对文臣的最高评价，清朝200余年，仅有8个人得此称号。

↑清·斗彩开光农耕图瓷扁壶

晚清外交家

李鸿章与洋人二三事

李鸿章是个毁誉不一的人物，有人说他卖国媚外，也有人说他是晚清杰出的外交家。他权倾一时，是个盖棺也难以定论的人物。他的一生几乎与晚清中国的命运密切相关，从他的一生中，不难看出近代中国历史的发展轨迹。

初次涉外

李鸿章本名章铜，字渐甫，号少荃，出生于道光三年（1823）。道光二十七年（1847），李鸿章中进士，后改翰林院庶吉士。

李鸿章是以镇压农民起义军起家的，他先是跟随曾国藩的湘军镇压太平军，后自立门户成立淮军。李鸿章颇有军事才能，同治五年（1866），他接任因围剿不力被免职的老师曾国藩，剿灭捻军，因而得以连连升官，时人皆说，他的顶戴是用鲜血染红的。

曾国藩曾将李鸿章与清末著名学者俞樾（字荫甫）相提并论，说“李少荃拼命做官，俞荫甫拼命著书”。李鸿章确实是为官有道，他热心官场，醉心仕宦，处处迎合当权者。

李鸿章最早与洋人接触是在镇压太平天国期间。咸丰十一年（1861），李鸿章带领新招募的淮军赶赴上海，试图以上海为中心收复被太平军攻占的江浙一带。当时太平军进军迅猛，走投无路的清廷决定借洋人力量消灭太平军，上海便有一支“洋枪队”，由美国人华尔任领队。洋枪队武器精锐，打过几次胜仗，清廷大加褒奖，将洋枪队命名为“常胜军”。同治元年（1862），华尔战死后，美国人白齐文继任统领。

对于“借师助剿”一事，朝中许多大臣持反对意见，深怕引狼入室。李鸿章抵达上海后，发现洋枪队战斗力惊人，于是想借他们围剿太平军，同时又抑制他们势力的壮大。华尔毙命，白齐文走马上任为他提供了一次难得的机会。

李鸿章利用白齐文与上海官员的矛盾，制造冲突，既挤走了白齐文，也排挤了与自己作对的官吏，并通过与英国的磋商，获得了洋枪队的部分掌控权，限制了其在地方上的势力介入。同治二年（1863）三月，英国人戈登任洋枪队统领。

从同治元年（1862）起，淮军与洋枪队以上海为基地，陆续夺回了太仓、昆山、江阴等地，于十一月中旬兵临苏州城下，开始进攻苏州。攻打苏州时，城中的太平军已经同意投降，淮军将领程启学也与太平军的8名将领签订了盟约，并由戈登签字做了保人。淮军诱降成功，拿下了苏州。

然而，李鸿章不但没有履约保全投降者的性命，反而设计杀害了这8名降将，同时，淮军在城内大开杀戒。李鸿章杀降之举引起了戈登的愤怒，提着洋枪要找他算账。李鸿章一边请求英人调解，一边极力辩护，得到了朝廷的支持。在双方的调停之下，这一场风波得以平息。然而他却下定了裁撤洋枪队的决心。

攻下常州后，戈登主动要求遣散洋枪队。李鸿章求之不得，于是在同治二年（1863）五月解散了洋将队，将其中一部分精锐部队和大部分武器装备收编入淮军。俗话说，请神容易送神难，到了李鸿章这里，请神容易，送神也容易，他的干练和老辣可见一斑。

痞子腔外交

同治九年（1870），天津法国天主教育婴堂中有30多名收养的婴儿因疫病流行患病而死，当时天津发生多起儿童失踪绑架事件。于是民间开始传言神甫和修女以育婴堂为幌子，将孩童挖眼剖心以作药材。

在愤怒和疑惑当中，民众与天主教徒的冲突对立升级，法国领事丰大业被民众打死，多名修女神甫也被群情激愤的民众杀死，英国、美国的多座教堂也被焚毁。在这次事件中，共有20名外国人被打死。

天津教案发生后，法、美、英等国向清政府提出抗议，并调遣军队进行威胁恐吓。清廷急派时任直隶总督的曾国藩前往天津查办。曾国藩判死刑20人，流放25人，将天津知府、知县革职流放，支付抚恤费和赔偿费共49万两白银，并派通商大臣崇厚作为特使前往法国赔礼道歉。曾国藩将此事办成了一次典型的屈辱外交，受到了外界的谴责。

在舆论的压力下，清政府派李鸿章接

↑李鸿章像

任直隶总督，负责办理此事。李鸿章从此真正开始了誉毁参半的外交生涯。在处理天津教案时，李鸿章对最后判决并无多大改动，仅将原来20名死刑改为16名死刑、4名缓刑。但是在一些细节问题上，他主张不必事事迁就列强，注意缓和天津民众的情绪，表面功夫做得比较到位，所以颇受清廷赞誉。在这次教案事件中，李鸿章还学会了痞子外交。

当他刚到天津时，首先去拜访老师曾国藩，请教办案要领，曾国藩反问他有什么打算。李鸿章说："门生也没有打什么主意。我想，与洋人交涉，不管什么，我只同他打痞子腔。"所谓痞子腔，即油腔滑调之意。

曾国藩不以为然，认为还是要以诚待之。李鸿章频频点头连声称是，口口声声要按老师的教导去做，传其衣钵。实际上，他与曾国藩性格上的差异，决定了他不可能完全依照曾国藩的准则去做。曾国藩是个非常注重德行的人，被人痛骂"卖国贼"后，心中惶恐，难以接受，而李鸿章被骂了几十年，依然我行我素。李鸿章本身就是个很"痞子"的人，他是进士出身，却毫无书生的斯文之气，对待不堪所用的人很是礼貌，而对待可用的人却是粗言恶语。被骂的人不以为耻，反而沾沾自喜。

曾国藩讲一个"诚"字，办外交却办得灰头土脸，李鸿章也讲诚，但他不是一味地讲诚，在列强仗势行事的情况下，诚是不可能打动他们的。而且外交本来是各国利益的较量，敷衍、迷惑和欺骗都是外交的手段之一，如果还古板地抱着"诚"不放，损害的自然只有己方的利益。曾国藩正是看不透这一点，才在外交上无出色表现，而痞子气的李鸿章则在外交上做出了大文章。当然，李鸿章的痞子气也不是纯粹的胡搅蛮缠，只不过在处理外交事务中加入一些迷惑的策略手段而已。

↑清·金镇花嵌松石奔巴壶

是"卖国贼"吗

自从同治九年（1870）办理天津教案起，李鸿章成为清政府对外事务中的主要负责人，代表清政府签订了一系列丧权辱国的条约：《中法新约》、中日《马关条约》和《辛丑条约》等，从而加深了中国半殖民地化的程度。因此，他屡屡被时人以"卖国贼"称之。

客观而言，李鸿章签订这些卖国条约，只是按照清统治者的意志行事，他不过是清廷卖国的替罪羊而已，但是他在这一过程中所起的正反两方面的作用也是不能忽视的。一方面，他为了迎合统治者主和的需求，对于列强提出的条件，几乎是全部答应，这一点是他值得诟病之处；另一方面，也要看到他尽力在"弱国无外交"的艰难处境下，试图为国家争取一丝生存空间的努力。

李鸿章的外交方针之一是在列强环伺，外侮日甚的环境下，尽最大可能以夷制夷，对列强能妥协则妥协，能利用则利用。可以说，在一定程度上，李鸿章达到了这个目的，不过他也有失策的时候。光绪二十二年（1896），李鸿章赴俄谈判，签订了《中俄密约》。临行之前，他对来访的黄遵宪说道："联络西洋，牵制东洋，是此行要策。"却没有想到此行却是开门揖盗，为沙俄势力进一步侵入中国提供了方便。所以黄遵宪称他是"老来失计亲炙虎"。

李鸿章一向自诩天朝大国，在许多场合上，他都表现得极为自矜，可能也是痞子气的一种体现。李鸿章与洋人的趣闻很多，中日甲午战争后，他兼任总理衙门事务，过去，衙门有个不成文的规矩，凡是外国使节来访，必好茶好果招待，一年花费不少。李鸿章有心革除，但他没有事先命令禁止，而是等待茶果上来时，他当着外国大使们的面，令仆从撤下去，并立下新规定：以后凡是使节初次来访，仍是端出果酒款待，再来则一律清水招待。各国大使面面相觑，非常尴尬。

对于无礼的外国使臣，李鸿章也针锋相对。光绪二十三年（1897），李鸿章接见法国公使施阿兰。施阿兰少年得志，心高气盛，态度傲慢，不将李鸿章放在眼里。两人交谈几句后，李鸿章突然问道："阁下今年贵庚？"施阿兰如实相告。李鸿章笑道："你和我的孙子同龄啊。去年我在巴黎时，曾经与你的祖父交谈甚欢，我们是极好的朋友。"施阿兰的脸马上涨红了。

↓江南制造总局造炮厂图

江南制造总局成立于同治四年（1865），先由曾国藩规划，后由李鸿章负责，为晚清中国最重要的军工厂。

怎一个"冤"字了得

《明史》、《南山集》冤案

文字狱自古以来皆有，清入主中原后，对此类的事情更加敏感，凡是奏折诗文中出现的一切能够影射、暗示甚至牵强附会的字句，都会酿成文字狱，给著者乃至相关的人带来杀身之祸。清初最有名的两桩文字狱案是《明史》案和《南山集》案，其惨其冤前所未有。

谁人撰《明史》

庄廷鑨，湖州乌程（今浙江吴兴）人，父亲叫庄允城。庄家是当地有名的豪门大户，家资丰厚。庄廷鑨自幼才华过人，然而一场大病却使他双目失明。不过，他没有因此消沉，而是自称"瞽史"，希望效仿左丘明写出一部与《国语》相媲美的史书，流传后世。

这期间，有同乡兜售一部书稿，庄廷鑨闻讯立即用重金购下。这部书稿是明末大学士朱国祯的遗著《明书》。朱国祯是万历十七年（1589）的进士，累官至礼部尚书兼文渊阁大学士。晚年遭奸党弹劾，他不得不称病辞官，归隐家乡。他文才甚高，回乡后悉心搜集大量史料，仿照《史记》等史书的体裁，编写了《明书》，其中记录了明朝200多年的史事，还有他自己以"朱史氏"之名所发的一些评论。刊刻时，因其门庭悬挂的匾额名为"清美堂"，他便令刻书匠在书籍的版心刻上了这三字。但是朱国祯没有等到此书出版就抱憾离世了。他死后，家道中落，境况大不如以往，迫于窘境，他的后人以一千两白银的价格将《明书》卖给了庄廷鑨。

庄廷鑨得到《明书》后大喜过望，然而此书尚未成形，体裁混乱，而且因朱国祯死得早，书中没有记载崇祯一朝的史料。得到父亲的支持后，庄廷鑨广召宾客，邀请当地的文人，在《明书》的基础上，编写《明史辑略》（简称《明史》）一书。庄氏父子言辞恳切，提供的报酬极为丰厚，而且这又是流芳百世的佳事，所以诸名士纷至沓来，不少人因未能名列其中而抱憾。

遗憾的是，书尚未编完，庄廷鑨便于顺治十二年（1655）撒手人寰了。他事未成身先死，庄允城为了完成儿子的遗愿，继续投入精力和金钱致力于《明史》的修订工作。此书编纂完毕后，他还邀请了明朝崇祯年间进士、曾当过南明礼部尚书的李令晳作序。此书除了增删朱国祯原作内容外，又增添了崇祯朝的史事，书中的评议大多仍署为“朱史氏曰”，有时则直署“庄廷鑨曰”。

顺治十七年（1660），在庄廷鑨岳丈朱佑明的出资赞助下，《明史》正式刊刻出售，为了与朱国祯原刻的《明书》版式整齐统一，此书也在版心雕刻“清美堂”。《明史》出版后，成为一时佳话，庄氏也赢得了书香门第的美誉。

祸从天上来

正当庄允城陶醉于极大的满足感中时，被列入撰书者名单的查继佐、陆圻和范骧三人却把他告了一状。这三个人没有参加编写工作，庄允城为了扩大影响，没有征得三人的首肯，便将他们的名字也列于其中，并刊印在书前的扉页上。三人得知后，起初也颇为得意，然而在范骧友人周亮工的反复提醒之下，他们始觉不妥。顺治十七年（1660）十二月，三人联合向浙江按察司衙门递交禀帖，声明庄氏未经他们同意，擅将三人列为参订者，此书与他们无关。

按察使衙门没有把这件事当回事，而司理嵇永福却认为不可等闲视之，便拿着禀帖去拜见浙江学道胡尚衡。谁知胡尚衡也没当回事，认为文章之事，不需存案，不耐烦地说：“如果贵司觉得有需要，那请贵司代为批复好了。”胡尚衡原本是不耐之语，嵇永福却也不客气，批复让湖州府学调查此事。

湖州府学教谕赵君宋看到批文后，立即行动起来，没想到真从《明史》中找到了犯忌的字句，此书在提及明朝与清交战时，仍沿用明朝年号；称清先祖和清兵为“贼”、“夷”，直呼清室先世其名。

赵君宋如获至宝，正准备上报，以抢头功。不料庄允城事先得了风声，他即刻行动起来，行贿当地守道，转而控告赵君宋，同时赶紧派人去书店收回尚未卖出的《明史》，将其中涉及悖逆的字句删除，

↑清·錾胎珐琅牺尊

重新刊刻装订。另外，他还亲自带着大批金银进京拜访前任浙江守道、现任通政司的王元祚，委托他平息此事，并将《明史》送到通政司、礼部和都察院备案。

庄允城原以为从此可以高枕无忧，没想到树欲静而风不止。在此事闹得满城风雨时，已有心怀叵测之人盯上了庄家的财富，这就是李廷枢和吴之荣。李廷枢和吴之荣都是有名的贪官，狗咬狗进了牢狱，没想到这对臭味相投的贪官却在狱中结为好友，出狱后还互相结了儿女亲家。

李廷枢得知庄允城之事后，觉得大有文章可做，他赶紧买了一本《明史》，跑到门生湖州知府陈永命家，两人合谋大捞一把。陈永命放出风声后，庄允城急忙给他送去了三千两银子。陈永命缴回书籍刻板，全部劈毁，压下此案。

李廷枢还翘首以待与陈永命分赃，不料陈永命私吞了贿银，不愿分一杯羹。李廷枢又气又恼，将此事告诉了吴之荣。吴之荣被免职之后，一直图谋东山再起。他怀揣此书前去见庄允城，想敲诈些钱财。谁知庄允城自认《明史》已在三院备案，而且还给知府送了不少银子，便没有理睬他。

失望之余，吴之荣翻阅《明史》时，忽然发现版心的“清美堂”字样，顿时眉开眼笑，他想起了庄允城的亲家朱佑明。朱佑明原是外地人，举家迁徙至湖州后，花巨资买下一处宅邸，加以扩建装修。为了附庸风雅，他收购了朱国祯家“清美堂”的匾额，悬挂在门厅上。不料，这块匾额却引来吴之荣的贪欲，最终给朱家带

来了灭门之祸。

吴之荣找上了朱佑明，原以为手到擒来。然而朱佑明对他更不客气，直接将他扫地出门。随后，庄、朱两家索性向当地守道控告吴之荣勒索。吴之荣被勒令出境。

恶意诬告祸难免

吴之荣十分恼火，决定拼个鱼死网破。他怀携初版《明史》，上京向刑部状告庄、朱两家，并陷害朱佑明，说书中所称的“朱史氏”就是朱佑明。

此时已是康熙元年（1662），刑部官员一看事关重大，立即直接奏报康熙帝的顾命四大臣：索尼、鳌拜、遏必隆、苏克萨哈。当时，清为了巩固江山，采取高压政策从思想上压制人们的反清和排满意识。此事刚好撞到了枪口上，清廷自然不会轻易放过。鳌拜随即指派刑部侍郎、满人罗多即刻奔赴浙江调查此案，严惩涉案人员。

罗多抵达湖州，经过一番审理后，将庄允城和朱佑明押解上京，并将两人打入刑部大牢，等候发落。庄允城年老体衰，难耐严刑拷打，不到一个月便庾死狱中。

朱佑明恰好与原湖州府学教谕赵君宋关押在一处，他许诺如果赵君宋能救他出狱，自己情愿以半数家资奉送。赵君宋对朱佑明的家产垂涎三尺，当即应承。他知道“朱史氏即朱佑明”的字句是吴之荣后来增刻上去的，而他购买的初刻本上没有朱佑明的字样。

↓故宫雪景

不料吴之荣还留着最后一手，当面对质时，他一口咬定朱史氏就是朱佑明，铁证是朱家门厅上悬挂着的“清美堂”一匾，而《明史》的版心刻的正是“清美堂”三字。朱佑明百口难辩。更糟的是，吴之荣上呈的《明史》已将书中记载序文和修订者名单的几页撕去，而赵君宋提供的原刻本则将参订者名单和作序者全部公布出来。如此一来，涉案者范围大大扩宽了。

康熙二年（1663）正月二十日清晨，湖州府紧闭城门，清廷派钦差率领官兵按照书中名单，搜查缉拿涉案人员，凡是涉案者，其家人无论长幼妇孺，包括奴仆全部捉拿。当时官兵捉拿李令皙时，有许多人正在李家拜年，李家百余人连同拜年的亲朋好友都被抓捕。

这场突如其来的抓捕行动持续了一个多月，闹得整个湖州府人心惶惶，其他不在湖州的涉案人员，也纷纷追拿到案。被缉拿的人员不仅包括作序者、修订者以及他们的亲朋好友，还抓获了刻板印刷的工人，甚至连书商和买书的人都不放过，牵连面之广可想而知。

至此，《明史》一案基本审理完毕。康熙二年（1663）五月，庄、朱两家参与编撰者以及他们的家人男丁在15岁以上者均被凌迟处死或斩首，女眷及15岁以下之子、侄、孙等发配给功臣为奴。庄廷钺、庄允城虽已身死，也被掘墓剖棺，枭首碎骨。一些官员也难逃此劫，赵君宋最终也以窝藏逆书久不上缴的罪名被处斩；知府陈允命当时虽已卸任，但在返乡途中，听闻此案，自知死罪难逃，便在旅馆中自缢。结案时，他的棺材被运回杭州，开棺磔尸。替代他上任的知府谭希闵以“隐匿罪”被判绞刑。

最先告案的范骧、查继佐、陆圻三人在案发后，也被关入监牢，饱受囹圄之苦。在半年多的风声鹤唳之中，他们三家有惊无险，最后被无罪释放。据说他们之所以得免，全赖仗两广提督吴六奇的营救。吴六奇早年落魄，曾受过查继佐的恩惠。后吴六奇投奔平南王吴三桂，屡建战功，升至两广

↓宁古塔

宁古塔是清代宁古塔将军的治所和驻地，位于黑龙江省东南部。

宁古塔

宁古塔不是一座塔，而是地名，它是清代管辖东北的重镇。此地名由来说法不一，现多认为宁古塔是满文“六个”的音译，相传清皇室先祖兄弟6人曾居此地，故以命名。宁古塔分为旧、新两城，旧城今为黑龙江省海林县旧街镇，新城今为黑龙江省宁安县城。

宁古塔是东北往来要塞，因地处偏远，从顺治年间开始，成为了清廷流放人员的接收地，其中有郑成功之父郑芝龙、江南才子吴兆骞、文人金圣叹的家人等等。无数因科场案、文字狱等被流放的文人以及其家属被流放至此。他们的到来使中原文化在此得到传播，并改变了当地以渔猎为生的生产方式，促进了农业的发展，从而使宁古塔有了“塞外小江南”的美称。

提督。案发后，他全力营救，凭着吴三桂为后台，查家因此得以保全，陆、范两家也因此沾得恩惠。

虽然三人被释放，而且得到了不少奖赏，但是他们已是心灰意冷。陆圻出家云游，为避免家人寻找，一再改名易姓，不知所踪。范骧出狱后一蹶不振，锐气消弭殆尽，最终老死于家。唯有查继佐的经历有一番传奇色彩。查继佐获释后，纵情诗酒，购养女优，教习歌舞。其妻也解音律，亲自拍板教习，没几年查氏女乐成为浙中名部。查继佐暗地里却在继续编撰他从顺治元年开始构思的《明书》，在沉迷声色的掩盖下，他把书名改为《罪惟录》，坚持写作，至康熙十一年（1672）完成这部102卷的巨著。

从《明史》案中捞到最大好处的人是吴之荣。他得了庄、朱两家的一半家产，并以此重新起家，仕途得意，升到了右佥都一职。人们对这等卑鄙小人自然是深恶痛绝，于是编排了许多吴之荣恶有恶报的下场。有人说吴之荣走到半山腰时，忽然狂风大作，电闪雷鸣，被天雷击中，犯了疟疾，寒热夹攻，两天就死了。这显然是后人附会出来的说法，吴之荣更有可能是寿终正寝。

一书激起千层浪

康熙帝在位期间，文字狱并不多，但是清初最有名的两起文字狱都是发生在他统治期间，这两件文字大案是《明史》案和《南山集》案。《明史》案发生在康熙初年，当时康熙帝尚未亲政，凡事由四辅臣决断。而发生在康熙五十年（1711）的另一件大案——《南山集》案，康熙帝则需要负主要责任。

《南山集》案的主角是戴名世。戴名世生于顺治十年(1653)，安徽桐城人，是桐城的名士，擅长散文，是桐城派开山始祖之一。他自幼对历史深感兴趣，一心想修一部完整的明史。

戴名世年轻时，曾在国子监当过贡生。他为人清高傲气，不屑官场的不良风气，见到宰辅大臣，除了作一揖别无他语，人们都说他恃才傲物，称他为狂生。

戴名世才高八斗，但家境不宽裕，只

得以授书为生。这一时期，他到处网罗佚文，遍访明朝遗老，搜求明朝末年的遗闻轶事，尤其是南明小朝廷的史事，准备以作将来撰写明史之用。

康熙四十年（1701），他的学生尤云鹗整理选编他平日所写的记载南明史事的上百篇文章，汇集成了一本书刊刻发行，即《南山集偶钞》。戴名世、方苞、朱书、尤云鹗都在书前作序。其中戴名世引用的不少资料是来自同乡方孝标的著作《滇黔纪闻》。方孝标是顺治年间的进士，顺治十四年（1657），其族人方猷主持江南考试，结果出现舞弊案。受此牵连，方孝标被罢官流放到宁古塔，后遇赦，当上了吴三桂的翰林承旨。吴三桂反清失败后，方孝标率先迎降，得免死罪。之后，他专心著书，写下了《滇黔纪闻》，书中不但记述了他在云南贵州的山水风景见闻，还记录了南明桂王朱由榔在西南抗清的事迹，书中所纪年月用了南明的年号。

《南山集》问世后，风行江南各省，文人士子皆以能得此书一睹而后快。却无人料知，这本给戴名世带来巨大声誉的书集为10年后一场凄凉悲惨的文字狱埋下了伏笔。

康熙四十七年（1708），戴名世进京赶考，会试第一，殿试获一甲第二名进士（俗称榜眼）。随后，他被授予翰林院编修一职，就任于明史馆负责修纂《明史》。戴名世虽然年纪渐长，但仍然没有学会官场的圆滑，不屑于做表面功夫，得罪了不少大臣。他自认对明史尤其是南明史事的了解尤出于他人，对明史馆之前所修的《明史》偶尔口出不满之语，也因此给别有用心之人留下了话柄。

康熙五十年（1711），都察院左都御史赵申乔上奏章参劾戴名世，奏章中说：“查翰林院编修戴名世，妄窃文名，恃才放荡，中举前为诸生时，就私刻文集，其中多有是非颠倒狂悖不经的言论。如今他身沐皇恩，入于朝臣之列，尚不追悔前非，焚削书板，实在罪该万死，希望万岁下旨严加议处，借以儆戒此等狂妄不谨之徒。”所谓私刻文集，指的就是戴名世10年前刊印的《南山集》。赵申乔为什么要告戴名世呢？这其中还有原委。两年前，戴名世赶考，会试第一，人们都以为状元定为他所夺，没想到殿试下来，赵申乔之子赵诏熊

↑清·錾胎珐琅象

却拔得了头筹，人们私下议论，认为是赵申乔暗中做了手脚。戴、赵两家从此便有了心结。赵申乔参劾戴名世很难说没有带私怨。

冤案撼天

那么，《南山集》究竟有什么问题呢？除了引用南明朝廷的年号之外，戴名世还认为应承认南明的正统地位，清朝的起始年应当从康熙元年（1662）算起，因为顺治帝虽然入关，但是三藩未定，明朝尚未灭亡，所以不能称为正统。此外，他还记录了顺治元年清廷杀明太子朱慈烺一事。书中并无直接毁谤和藐视清王朝的文字，但因为揭露清朝隐讳之事触怒了康熙帝。

康熙帝下旨令刑部审查此事。刑部立即逮捕了戴名世，并用刑逼供。戴名世已年近花甲，在夹棍的“伺候”下，便原原本本地招供了，把出资刊刻的尤云鹤、作序的方苞、《滇黔纪闻》的作者方孝标等人一一招了出来。尤云鹤、方苞一干人等纷纷被捕入狱，此时方孝标早已去世，他的儿子方登峄也被捉拿。

几乎在赵申乔参劾戴名世的同时，发生了江南科场案，参加考试的数百人抬着财神像进入学宫示威。江苏巡抚张伯行上奏弹劾考官受贿，酿成考生不满事件，接着他疏劾江西总督噶礼贪污之罪。张伯行何许人也？他为官清廉，深受康熙帝的信任，被皇帝誉为“天下第一清官”。然而噶礼也不是好惹的，他是康熙帝乳母的儿子，又是皇太子的党羽。他搜罗出张伯行的7条罪状反加弹劾，其中罪状之一，便是张伯行与《南山集》有关，是包庇戴名世、方苞的同党。如此一来，《南山集》案与康熙朝储君之争交织在一起，案情愈加复杂，涉案人员的境遇也愈加凶险。

↑清乾隆·银提梁壶

康熙五十二年（1713）二月，经九卿会审后，刑部上奏，禀明戴名世等私刻《南山集》之罪，照大清律例应凌迟处死。康熙帝看到奏疏，觉得量刑过重，牵连面太广，担心会造成严重的社会影响，于是改判。戴名世斩立决，方孝标发棺戮尸，其子免死，连同家人流放宁古塔。汪灏、方苞免死，入旗为奴。此案其他原拟处死的涉案人员一律免死，或举家发配边疆或改判入旗为奴。

十几年后，雍正皇帝继位。他认为《南山集》案并无逆反之事，便下旨准许当年被罚没入旗的人还籍。然而《南山集》案的影响已经远远超过人们的想象了，自此案后，知识分子恐惧文狱，人人自危，不敢议论朝政，不敢研究经世致用的学问，只好埋头于故纸堆里，考究之风盛行，大大束缚了思想的进步。

清风不识字 何故乱翻书

吕留良、曾静奇案

清朝出过无数文字狱案，雍正年间的吕留良、曾静案便是其中的一桩。此案是一件冤案，也是桩奇案，死人被开棺戮尸，主犯却无罪开释，还被统治者优厚相待。更令人啧啧称奇的是，新君继位后，不顾父命将主犯处死，其中的缘由诡秘莫测。

吕留良其人

吕留良字用晦，又字庄生，号晚村，浙江崇德（今浙江桐乡）人，出生于明崇祯二年（1629）。

明崇祯十七年（1644），清兵入关，定都北京。与同时代的许多人一样，吕留良散尽家财，襄助抗清义军，谋图恢复明朝的统治。无奈大势已去，吕留良心灰意冷，归家授徒。

顺治十七年（1660），吕留良曾参加科举考试，中了秀才，接下来的几次进京赶考却都名落孙山，加上与黄宗羲、黄宗炎等具有民族主义思想的文人相互往来，他醒悟科举的丑恶，对自己的行为懊悔不迭，从此不再步入科场，与清廷彻底决裂。

↑清·竹刻留青山水纹笔筒

吕留良自此闭门著书，选评历代优秀的八股文，并将其汇集成《时文评选》刊刻发行，因此声名大噪，被士子们尊称为“东海夫子”。康熙十八年（1679），清廷开博学鸿辞科，浙江省官员推荐吕留良，他誓死不从。次年，地方官再次举荐，吕留良索性落发为僧，法名耐可，闭门谢客。康熙二十二年（1683），吕留良病死，享年55岁，著有《吕晚村文集》、《东庄吟稿》等。

在吕留良遗留的著作、书信中，表达出了强烈的民族意识，强调“华夷之辩大于君臣之伦”，主张应当“抗清攘夷”。他径直将清朝称为“清”、“北”或“燕”，对清朝皇帝直呼其名，甚至肆意咒骂当朝皇帝康熙，他的一些诗作如“清风虽细难吹我，明月何尝不照人”等也隐晦地表达了反清复明的思想。

策反岳钟琪

吕留良虽然已经去世，但他的著作仍然在读书人中流传，湖南文士曾静便是在这一时期见到了吕留良的文章。曾静生于康熙十八年（1679），比吕留良小了50岁，他自负才华横溢，然而屡第不中，心中愤懑，对清统治者起了抵触情绪。当他看到吕留良的著作中有论及“夷夏之防”以及封建井田等言论时，精神大为振作，派门生张熙前往浙江吕家访求书籍。

当时吕留良已死，其子吕毅中将父亲遗留下的文稿全部交给张熙。张熙还结识了吕留良的两个门生严鸿逵和沈在宽。此后，曾静与严鸿逵、沈在宽书信来往，频频赋诗相赠答，书信中流露出对清廷的强烈不满，甚至秘密商议反清复明之举。

然而几个书生如何能推翻偌大的大清朝？曾静和张熙思来想去，想到了川陕总督岳钟琪。岳钟琪是四川成都人，他在康熙帝征讨西藏的时候立下了大功，被提拔为四川提督。后跟随年羹尧讨伐罗卜藏丹津，再度立下汗马功劳，升至甘肃提督兼甘肃巡抚。年羹尧被赐自尽后，他继任川陕总督一职。岳钟琪是有名的战将，又是汉人，曾静以他姓岳而认为他是岳飞的后裔，于是想劝他起兵反清。

雍正六年（1728）九月，张熙带着曾静写的书信拜见岳钟琪。岳钟琪原本还不在意，当他看到书信中不仅劝他反叛，而且列举了雍正帝“谋父、逼母、弑兄、屠弟、贪财、好杀、酗酒、淫色、怀疑诛忠、好谀任佞”的十大罪状后，当即吓出了一身冷汗。他将张熙打入监牢，命狱卒

↓吕留良画像

严刑拷打。张熙却是个硬汉子，死活不吐露自己的真实姓名，只说是师傅夏靓派他送信的。拷打得狠了，他便胡乱招口供，说是孔夫子派他来的。岳钟琪气急，命人上夹棍，将张熙折磨得死去活来。他便又改说幕后主使者是岳飞，令岳钟琪又好气又好笑。

将计就计套口供

岳钟琪见拷问不成，便心生一计。他

↑岳钟琪画像

吩咐狱卒释放张熙，并请人为张熙疗伤，又让同是湖南人的咸宁县县丞李元装作幕僚，前来照顾张熙。张熙起初觉得莫名其妙，对李元怀有戒心。李元舌璨莲花，说岳钟琪饱受清廷猜疑，早欲起事，只是可惜孤掌难鸣，无人帮助。张熙堂而皇之前来投书，岳钟琪甚为敬佩，然而耳目在侧，为了避免旁人见疑，只好先将他刑讯，后做商议。

张熙闻言又惊又疑，怕其中有诈。伤势略好之后，岳钟琪频频来访，与他促膝交谈，还向天盟誓愿同生共死起事反清。

张熙到底还是个书生，不识岳钟琪此等官场中人的心机，便信以为真，对他透露了自己的真实姓名，表明他的老师不是叫夏靓，而是叫曾静，并说曾静对吕留良的著作推崇备至，曾派他赴吕家寻求遗著，还供出了曾静与吕留良弟子严鸿逵、沈在宽往来密切的关系。

岳钟琪审出实情后，喜不自禁，连夜拟好奏章，将张熙不肯招供，自己如何设计盟誓引诱其吐露详情之事呈报给雍正帝。

雍正帝看到奏折后，大为感动，竟留下了眼泪，表示岳钟琪为国为民盟誓天地可鉴，神灵若得知，定会为他消灾灭罪，赐福延寿。同时他不忘叮嘱岳钟琪，稳住张熙，不要让其生疑。

一边是岳钟琪继续好言好语套供张熙的话，一边是雍正帝命令湖南巡抚王国栋捉拿曾静，并令刑部侍郎杭奕禄、正白旗副都统海兰一同前往湖南会审曾静。曾静本想彰显气节，然而一经严刑拷打便供认不讳，将经过全部如实说出。曾静被押进京，张熙也被逮捕，此时才知道受到了蒙骗，然而悔之已晚。

一案连一案

雍正帝对此案高度重视，他立即派浙江总督李卫逮捕吕留良的后人以及严鸿逵、沈在宽等人，并搜出了严、沈秘密编抄成册的吕留良文集及其他吕留良的著述、日记。

雍正帝翻阅吕留良遗著时，发现其中不乏直接攻击大清和康熙帝之语，他勃然大怒，派人从严审理吕留良、曾静一案。

此案株连甚广，惊动了几个省，从雍正七年（1729）五月定案至雍正十年（1732）十二月结案前后延续了5年半时间。已经去世多年的吕留良被开棺戮尸，其文集、日记、书信等尽被焚毁。案发后吕留良长子吕葆中忧愁而死，但仍然逃脱不了剖尸枭首的命运。吕毅中被判斩立决，吕氏子孙、兄弟伯叔兄弟之子，及妻妾姐妹等流放宁古塔，给披甲人（下层旗人军士）为奴，家产充公。

严鸿逵被判凌迟处死，然而严鸿逵在结案前已病死监中，故而枭尸示众，其祖父、父亲、子孙兄弟及伯叔父兄弟之子，凡男子16岁以上者皆斩立决，男子15岁以下者及严鸿逵之母女、妻妾、姐妹发配给功臣之家为奴。沈在宽被凌迟处死，其家人按律治罪。吕留良的一些门生、相关的刻书出版人员以及对吕留良深表同情的文人也被处死或充军。

然而事情还没有结束，这仅仅是一个开始。雍正帝之所以对此案大张旗鼓，是因为曾静在投给岳钟琪的书信中列举了他弑父等10条罪状。雍正帝疑惑的是，这些都是不宣扬于外的宫中秘闻，而曾静不过是个因科考失利对朝廷有所怨怼的山村野夫，见识短浅，他是怎么得知康熙末年皇子争夺帝位的细枝末节？正是这件事引起了雍正帝的警惕，他做梦也料想不到天下人如此议论他，觉得突兀又愤怒，于是下令追踪消息的来源。

↓雍正帝临雍（讲学）图

临雍是国子监的主要建筑，皇帝来此讲学称为“临雍”。

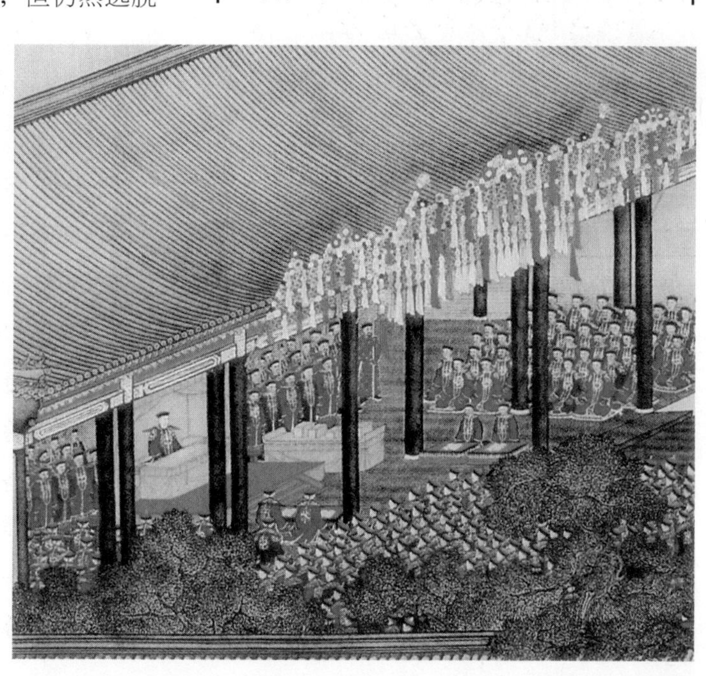

首先审讯的对象是曾静，曾静在严刑逼供和循循诱导下，早就失去了气节，对大清俯首帖耳，卑躬屈膝，将罪状全推到吕留良身上，对雍正帝极具阿谀奉承之事，称自己识浅见小，错听谣言，“今蒙皇上金丹点化，幸而已转人胎”云云。

所以不用动大刑，曾静就自动将所听所闻的来源供出来，说是从湖南安仁县生员何立忠和永兴县医生陈象侯那里听说的。雍正帝派人下去调查，顺藤摸瓜，终于辗转查出这些话是皇八子胤禩、皇九子胤禟的心腹马守贵、达色、蔡登科等人传出的。

雍正帝是在残酷的争斗中得到皇位的，继位后，他对当年与他争夺皇位的兄弟们展开了报复，胤禩、胤禟分别被改贱名为“阿其那”、“塞思黑”，他们的同党被流放至广西。这些人在流放途中，大肆攻击雍正帝，编造了许多或真或假的宫廷内幕消息。路人信以为真，四处传播。案情水落石出后，雍正帝马上借此机会肃清胤禩一派的残余势力。

至此，吕留良、曾静一案已告结束，余留的唯一问题便是给曾静、张熙这两个首犯定罪量刑。吕留良一家被抄家灭门，严鸿逵、沈在宽也被处以极刑，人们都以为曾静、张熙也逃脱不了凌迟处死的下场，谁知雍正帝竟然做出了一个在旁人看来不可思议的决定！

出乎意料的处理

刑部审讯、九卿会审后，将此案定性为谋逆案，按照律法，曾静凌迟处死，其祖父、父、子、孙、兄弟及伯叔父、兄弟之子等男16岁以上者，依律斩立决；男子15岁以下者及母、女、妻、妾、姊妹、子的妻妾等赐给功臣家为奴；财产充公。张熙与曾静共谋不轨，也应凌迟处死。

刑部将会审结果上奏皇帝，雍正帝却对此不以为然，决定无罪开释曾静、张熙两人。他认为，虽然曾静和张熙试图谋逆，罪不可赦，然而曾静是受悖论迷惑，而且无反叛之事，现已幡然悔悟，改过自新。况且曾静只诋毁他自身，没有像吕留良一样辱及先祖，所以可以饶恕。更为重要的是，如果不是两人投书，他至今仍不知道吕留良、阿其那、塞思黑等奸臣逆贼的罪行。

对于雍正帝的决定，王公贵族和朝中大臣们都难以理解，他们认为曾静罪不可赦，不能免死，于是又上了一道奏折请求依律处死曾静。雍正帝却坚持己见，说他已考虑周详，让王公大臣们不必再奏。诸臣见此，只好作罢。雍正帝后来又降旨，告诫各方人士不得中伤治罪曾、张两人，“朕之子孙将来亦不得以其诋毁朕躬而追究诛戮之”，也就是说，就算是他的子孙将来也不准因这两人诋毁他而将其治罪。

除此之外，雍正帝还干了一件令人瞠目结舌的事情。雍正七年（1729）五六月间，雍正帝接连颁布上谕，批驳吕留良的邪说悖论。他还和曾静面对面地辩论，借以阐发自己对华夷之辨的见解。

不久，雍正帝亲自主持编撰了《大义觉迷录》一书。此书共4 卷，内收雍正上谕10道，审讯词和曾静供词47篇，张熙等口供2篇，后附曾静的忏悔书《归仁说》一篇。“上谕”部分主要关于两个方面，一是雍正帝对吕留良夷夏大防言论的批驳，他认为夷夏本是一家，为大清的正统地位辩护；二是雍正帝对曾静指责他弑父逼母弑兄屠弟等10条罪状，逐条进行反驳。他认为这是阿其那等人心存恶意，故意传播的谣言，并针对各条罪状一一批驳，透露出了他如何继位、如何对待父母兄弟、兄弟又是存在何种险恶之心的宫廷内幕，

雍正帝为此专门发布谕令，要求将此书颁行天下各府、州、县，下令地方上的学府都要收藏一本，让所有的读书人都能看到这本书，如果查出没有备有这本书，或者没有听说过这项旨意，必将重惩当地的学政。

雍正帝不仅赦曾静、张熙两人无罪，还钦点他们四处宣讲《大义觉迷录》，批驳吕留良、胤禩等人的言论，颂扬当朝皇帝的功德。雍正八年（1730）正月二十三日，在刑部侍郎杭奕禄的带领下，曾静、张熙开始赴江苏、浙江、陕西各地宣讲。巡讲完后，雍正又下旨令湖南巡抚赵弘恩，将曾静接回湖南老家，奖赏一千两白银。

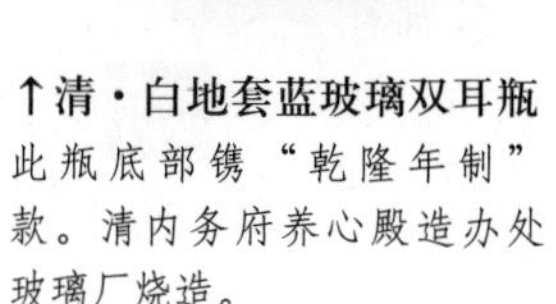

↑清·白地套蓝玻璃双耳瓶
此瓶底部镌“乾隆年制”款。清内务府养心殿造办处玻璃厂烧造。

乾隆帝翻案

吕留良、曾静一案似乎已告一段落，雍正帝在位期间确实如此，然而乾隆帝继位后，此事又起波澜。雍正十三年（1735）冬，乾隆帝刚刚登上皇位，便不顾雍正帝生前颁布的诏令，缉拿曾静、张熙，并将两人凌迟处死。对此，乾隆帝振振有词，当年雍正帝以曾静仅诋毁他自身没有辱及先祖为由宽宥，而今他以曾静侮辱皇考将其治罪。随后，他又宣布《大义觉迷录》为禁书，下令追缴销毁，严禁私藏，违者严惩。

乾隆帝之所以这么做是有原因的，雍正帝将《大义觉迷录》刊行天下，是出自政治宣传的需要。但此书不仅保存了吕留良等人大量激烈的反清言论，还将康熙年间诸皇子争夺王位等宫廷秘事揭露于世，不但没有取得预期效果，反而适得其反，激起人们更强烈的反清情绪。

最终，吕留良、曾静一案以戏剧化的结局和血腥的杀戮落下了帷幕。至于此案中的另一个重要人物，岳钟琪也值得一提，他先是因此受到嘉奖，尔后遭到猜忌，雍正十年（1732）以对准噶尔作战不力之罪名被下狱免职。乾隆帝继位后，他被重新起用，后病逝于乾隆十九年（1754）。

深宫奇案

《永乐大典》被盗之谜

修纂于明永乐年间的《永乐大典》卷帙浩繁，是一部大型百科全书，在清朝初年受到极大的重视。然而，在乾隆年间却发生了一起离奇的《永乐大典》被盗案，引起了北京城里的一场风波，甚至有人险些为此掉了脑袋。

《永乐大典》

《永乐大典》是一部大规模的类书，所谓的类书，大致相当于现在所说的百科全书。朱元璋在位期间，便萌发了编纂大型类书的念头，可惜因种种原因搁浅。明成祖朱棣以“靖难”的名义夺了侄子的皇位后，开始着力于类书的编纂，力图笼络士子之心，这就是《永乐大典》。

《永乐大典》成书于明永乐五年（1407），正文22 877卷，凡例和目录60卷，共装订成11 095册，总字数约3.7亿字，其规模之大，内容之丰富，都是之前的类书无法比拟的。嘉靖年间，朝廷组织官员对《永乐大典》进行了重录，此次重录质量很高，可与正本比拟。重录后，人们一般称永乐年间的编纂本为“永乐钞本”或“正本”，称重录本为“嘉靖钞本”或“副本”。

明清之际战乱频繁，正本不知所踪（有人认为已作为嘉靖的随葬品永埋地下，也有人认为是毁于宫中大火）。清人关后，将紫禁城作为皇宫。康熙年间，人们无意中在档案馆皇史宬发现了《永乐大典》的副本。皇史宬地理位置较为偏僻，在战乱中没有受到战火波及，副本才侥幸保存了下来。

流散的《永乐大典》

乾隆三十七年(1772)，朝廷开设四库全书馆，准备编纂《四库全书》。乾隆帝发布上谕从全国各地征集书籍，从《永乐大典》中辑录“现在流传已少不恒经见之书”编入。军机大臣们派员对《永乐大典》进行清查后，赫然发现已经缺一千多册，宫里搜了个遍，也没有找到失踪的卷册。当时修纂四库全书的总裁是纪晓岚，看到缺失的情况，他大感痛心，马上上禀了乾隆帝。

那么缺失的卷册到哪里了呢？根据人们的回忆，康熙年间曾开馆修书，总裁官徐乾学、王鸿绪、高士奇等人经常翻阅此书，有可能是他们将这些卷册拿回家查阅之后忘记上交了。

乾隆帝立即遣人前往徐乾学等人家中查询，然而一册也没有找到，或许是徐乾学等人没有私拿回家，也可能是他们的后人唯恐乾隆帝怪罪不敢交出。后来人们又猜测遗失的书可能在旧书坊流通，于是又派人四处寻访，可是也只找到了几册。其余一千多册的下落便成了一个永久的谜。

永乐大典虽有一千多册遗失，所幸还保存绝大部分。为了更好地利用《永乐大典》，掌管官员将翰林院衙门内迤西房屋（今东交民巷）作为校阅的场所，因为《永乐大典》篇幅浩大，头绪纷繁，又抽调了翰林院的30名官员分校，纂修官庶吉士黄寿龄就是其中之一。

离奇盗案

对于一名翰林而言，参与修书是对自身能力的一种极大肯定。黄寿龄受到任命时心中的喜悦自然是可想而知，当时他没有料到，后来的发展却差点让他丢了性命。乾隆三十九年(1774)六月，夏日的一个晚上，黄寿龄下朝回家，轿上放着一个鼓鼓的包裹，行至米市胡同时，他突然感到腹痛难忍，匆忙停轿，寻觅僻处方便。当黄寿龄解决三急，返回轿中后，却发现包裹不翼而飞了。

如同晴天霹雳，黄寿龄大惊失色，因为包裹里面没有黄金白银，却有比阿堵物（钱）更为贵重的6册《大典》！原来他白天未能将当天的任务校阅完毕，为了赶工，他私自将6册《大典》藏于包袱中带出，打算趁夜校阅，没想到路中却被贼人

↓皇史宬

皇史宬是中国明清两代皇家档案馆，又称表章库，位于北京天安门东边的南池子大街南口，极宜保存档案文献。

偷了去。

黄寿龄自知大难临头，却不敢隐藏，急忙汇报了上司。消息很快传到了乾隆帝那里。乾隆帝龙颜大怒，痛斥翰林院监管不严，并命令步军统领尚书英廉严加追查盗贼。一夜之间，《大典》被窃成为京城里的头条新闻。

皇上发话，底下人不敢不加紧追查，然而经过一个月的搜查，此案仍然未能破解。正当黄寿龄、英廉等人提心吊胆时，事态却发生了逆转，有人在御河边捡到了丢失的6册图书！原来官府缉拿甚紧，书坊知道《永乐大典》是宫中之物，不敢收购，窃贼无法脱手，又恐引火烧身，便趁着夜色，悄悄扔到了御河边。

听闻《大典》失而复得的消息后，黄寿龄大大松了一口气，虽然受到降一级留任、罚俸一年的处分，但脑袋总算是保住了。

此事发生后，乾隆帝下谕旨要求严格执行图书的登记管理制度，除了每天填写书单、造档案外，还要严格检查，禁止相关人员私自携书外出，从而在相当一段时间内杜绝了盗窃遗失现象。

↓紫禁城一角

光绪帝大婚前的离奇火灾

《《《《 紫禁城贞度门失火

光绪十四年（1889）十二月十五日深夜，狂风凛冽，夜深人静，雄伟肃穆的紫禁城在夜色的笼罩下显得格外幽深。突然，一阵慌乱的锣鼓声响起，只见紫禁城内火光冲天，浓烟弥漫，“走水了”、“走水了”的疾喊声此起彼伏。

祝融之灾

古代人把火灾叫做“走水”，也雅称为“祝融之灾”。对于多是木制结构的中国建筑物来说，火灾是一个毁灭性的灾难。城市中的民房多连成一片，屋檐交接，房屋密集，古代防火设备不足，常常出现火势一起，不可收拾，将接连的民房燃烧殆尽，直至火势自然熄灭的情况。

民间对火灾防之又防，皇宫自然更为谨慎。紫禁城内的宫殿大多是木结构，布局上存在缺陷，主体建筑物又远离水源，防火技术和防火设备落后，而且当时又没有避雷针，明代宫廷火灾多是因雷击而起。清代加强了防火措施，在宫中各地设置了大水缸，称为“太平缸”，用来蓄水防火。冬季在水缸下面生火，以免积水结冰。

尽管采取了种种预防措施，清代宫廷仍是火灾频频，光绪十四年（1889）十二月贞度门发生的大火便是清代的特大火灾之一。贞度门位于紫禁城内中路南部，以太和门为中轴，与昭德门左右对称分布，明代时称为宣治门，明仁宗曾听政于此。到了清代，贞度门是文武百官上朝经常出入之门，左右两庑为侍卫值宿处所。如果起火，一旦不能控制火势，必然殃及太和门。太和门是皇帝听政或举行重大典礼的场所，顺治帝曾经在此举行过登基大典。倘若被毁，对当时已经处于风雨摇曳之中的清皇室而言绝对是个不小的打击。

此外，贞度门附近有许多库房，有收存狐皮、貂皮、象牙、犀角等的皮库；收存人参、茶叶等的茶库；收存金银、珠宝、玉器的银库等，储存着大量珍贵重要的御用物资。如果火势殃及库房，将带来无法估计的损失。

因此当晚贞度门失火后，清皇室极为

惊慌，满蒙王公贵族、军机大臣、内阁大学士等文武百官纷纷闻讯赶来，神机营兵丁、步军统领衙门兵丁等7 000多兵士倾巢出动，全力扑火。

贞度门大火述闻

光绪帝的老师翁同龢作为历事者之一，在日记中详细地记载了火势以及救火经过。光绪十四年（1889）十二月十五日夜，狂风呼啸，天寒地冻，地上积雪甚厚，整个京城被笼罩在一片夜色中。

翁同龢睡得正熟的时候，仆人突然急匆匆地将他唤起，先是称“大内火”，后又说“贞珠门”，神态慌张，语言颠倒混乱。翁同龢大惊，急忙询问具体情况，仆人也说不清楚。他连忙起床备车赶往紫禁城，在午门下车后，才知道原来是贞度门失火，他心中松了一口气，贞度门离后宫还很远，不至于危害到皇帝的安全。

翁同龢从左掖门进入皇宫，满地积雪，行走不便，几次差点摔倒。走到贞度门前，他发现火势逼人，贞度门的屋顶已经被烧塌，墙和柱子还在燃烧。当时赶赴现场的大臣还不是很多，只有庆亲王奕劻等人。他和奕劻等人商量灭火事宜，几个人一致认为首先要切断火源，不让火势蔓延。然而救火人员还没到位，只有为数不多的兵勇在扑火。贞度门西边的皮库正在扑救当中，东边的茶库大门紧锁着，火却

↓巍巍紫禁城

已经在库内燃烧起来，等到发现时已经来不及了。

太平缸里虽然装满了水，但是面对如此猛烈的大火无疑是杯水车薪，太和门外的金水河虽然有水，但已经结冰，必须凿冰一尺才能取水，人手设备不足，取水难度很大。

没多久，茶库的房顶被烧毁，火势发展很快，从贞度门迅速向其他地方蔓延，太和门很快被大火包围。顷刻间，大火又越过了太和门，很快就烧毁了武备院的毡库、甲库和鞍库等多间库房，不久，东边的昭德门也被殃及。

翁同龢等人立即决定将昭德门东边的库房拆毁，以免火势继续蔓延，然而库房坚硬难摧，无论是用锯子还是用斧头都弄不倒，后来以多人受伤的代价，很是费了一番周折，才将昭德门东头的梁柁拽了下来，截断了火苗的前进。

火势虽然被控制住，但大火仍然在熊熊燃烧，木材燃烧的毕剥声清晰可闻，大火燃烧了两天两夜，直到十八日才被扑灭。

↑清·缎地盘金龙斗篷

火灾的原因

这场大火是怎么引起的？是天灾还是人祸？当时正是隆冬时分，刚刚下过一场大雪，天空无雷，不可能是雷击起火。火灾发生后，刑部立即审讯了贞度门值班官兵，原来是檐柱上挂的油灯经年已久，灯壁被烧毁，点燃了屋中易燃物品，而值班的两名护军富山、双奎熟睡不知。当晚风大，火势随风四处蔓延，一发不可收拾，遂酿成大祸。

此次火灾来势汹汹，贞度门、太和门和昭德门等建筑全部毁之一炬，其附近的库房也几乎全被烧毁，损失惨重，价值难以估算。这还是直接损失，太和门、贞度门和昭德门等被烧毁，势必要重修。

工部和内务府会同勘察估算，认为“太和门一座，凡九间，昭德门、贞度门二座，每座各三间，显廊各二间，太和门东西库房各七间，昭德门迤东库房六间均应建盖。贞度门迤西库房六间内，修补一间，拆修五间”。

此项工程属于重要工程，所需木料、

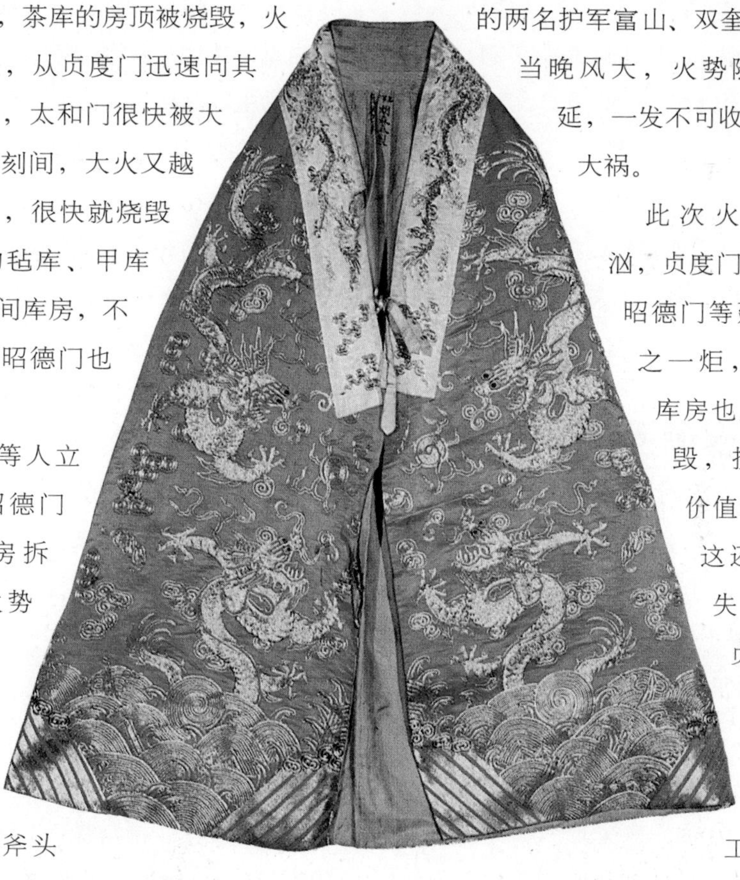

石料、砖瓦等材料众多，而且质地要求上乘，例如柏木、椴木等木料需要从云贵、湘赣等省采办，运送费财费力。宫中库房有储存的便不再购置，能够重新利用的也不再换新，有些材料也适当降低档次，比如太和门原本用的是楠木，然而楠木珍贵奇缺，只好改用黄松。尽管如此，重建费用依然高得惊人，据估计，“净需采买物料、拉运车脚、匠夫工价并办买铜、锡、叶子、金等项例银”总共要23.5万余两。

为了嘉奖救火人员，户部拨银2.5万余两奖给火班（即救火队）、匠人、兵丁等，还出资1.4万两银子修盖火班值房室和添置消防器具，合计下来，单单是火灾后的善后重修工作就需要耗费28万两银子。

临时搭棚迎大婚

贞度门失火时，正是光绪帝筹备大婚之际。经钦天监敬择吉期，大婚典礼定于光绪十五年（1890）正月二十七日举行。太和门、贞度门与昭德门是举行大婚典礼的重要场所，距大婚不到一个多月，朝门突然被大火烧毁，使得皇宫上下都极为震惊惶恐，认为是上天在示警。火灾发生后，慈禧太后和光绪帝曾亲临现场与众大臣商议灭火事宜，大火扑灭后，慈禧太后特地下令除了佛堂和正路殿座之外，颐和园的其他施工一律停止，以祈求上天息怒。

虽然工部已经开始着手朝门的重建工作，但是婚期迫近，原样重修根本来不及，然而也不能因此更改婚期。按照大婚典礼的程序，皇后从大清门进入紫禁城，然后通过太和门进入内宫，现在太和门被烧毁，皇后无门可入，简直是不成体统。

慈禧太后果断决定婚礼一定如期举行，她责令扎彩工匠日夜赶工，临时搭盖一座彩棚应急。于是，京城扎彩的能工巧匠全被集中起来，施展浑身解数，按太和门的原样搭建了彩棚。据《清宫述闻》记载，这座彩棚和太和门的高度宽窄一模一样，连鸱吻、雕饰、瓦沟等都酷似真物，即使是长期在宫中行走的人，也不能辨其真伪。彩棚高30多米，虽是用彩纸所制，但就算是大风吹过也毫不动摇。

大火过后，光绪帝连续发布了十几道谕旨，追究火灾肇事者的责任，富山、双奎被判处死刑，总管内务府大臣、步军统领等官员，也因“疏于防范”，依“监守不慎”例受到了降级、罚俸等处分。光绪帝同时奖赏救火人员，根据各人的身份级别分别给予赏银、加官、进爵等嘉奖。此外，光绪帝还整顿了火班，购买防火设备，并拟定了8条防火章程。

即便如此，清朝末年宫内的大小火灾仍时有发生。清宫最后一次火灾发生在1923年6月，当时末代皇帝溥仪已退位，但仍在紫禁城中居住。那一场特大火灾从静怡轩起火，蔓延到延寿阁。延寿阁倒塌时，正在燃烧的椽梁倾压在其他宫殿上，如此一来，慧曜楼、吉云楼、碧琳馆、广生楼、凝辉楼、香云亭等全化为一片火海，损失重大。

附录：清朝历代帝王

1616——1911

庙号	帝王原名	年号	公元
太祖	努尔哈赤	天命	1616～1626
太宗	皇太极	天聪 崇德	1627～1636 1636～1643
世祖	福临	顺治	1644～1661
圣祖	玄烨	康熙	1662～1722
世宗	胤禛	雍正	1723～1735
高宗	弘历	乾隆	1736～1795
仁宗	颙琰	嘉庆	1796～1820
宣宗	旻宁	道光	1821～1850
文宗	奕詝	咸丰	1851～1861
穆宗	载淳	同治	1862～1874
德宗	载湉	光绪	1875～1908
	溥仪	宣统	1909～1911

·出版策划·

孙亚飞

·责任编辑·

赵晓星

·责任校对·

李延勇

·特邀编审·

段桂华

·文图编辑·

程　慧　陈丽辉　王　波　肖　雪

姚晓华　刘燕萍

·文稿撰写·

郭文钠

·美术编辑·

周邦雄　刘晓东　何冬宁　辰　征　张鹤飞

·装帧设计·

夏　鹏　孙阳阳

·图片提供·

Fotoe.com

Corel Professional Photos

ANN LIU